和讃要義（下）

——正像末和讃大意——

序

本学院では、過ぐる、第二十四代即如門主伝灯奉告法要、学院創立六十周年を記念して、講義テキストを刊行いたしました。

この中央仏教学院は、真宗・仏教をはじめとする現代の僧侶に必要な学業、行儀を習得し、人びとの期待にこたえうる人格を練成する僧侶養成の学校です。

混迷と不安の中に、真実の宗教が求められている今日、学生諸君は、本学院に学ぶ意義の深さを自覚し、次代の宗門を荷いうる実力を涵養するよう努力されんことを切望いたします。

浄土真宗本願寺派

侶養成機関である学院に学ぶ者としての努力を積み重ねることを切望いたします。

浄土真宗本願寺派総長　豊　原　大　潤

はしがき

◦第二十四代即如門主の伝灯奉告法要、併せて中央仏教学院創立六十周年を記念として、本テキストの作成が企てられた。

◦中央仏教学院運営評議会の一部門として講本専門部会を設置し、三ヶ年継続事業として実施した。実施の概要は次の通りである。

年度	書名	執筆者	協力者
第一年度（昭和五十四年度）	真宗要説	土井忠雄	灘本愛慈　中西智海
	仏教要説	北畠典生	山崎慶輝
	宗教要説	寺川幽芳	石田慶和
	和讃要義（上）	加茂仰順	日野振作
	和讃要義（下）	日野振作	加茂仰順

第二年度（昭和五十五年度）

科目	講師		
三経要義	高橋隆真	土井忠雄	
七祖要義	稲城選恵	土井忠雄	
本典要義	灘本愛慈	土井忠雄	
各宗要義(上)	山崎慶輝	小林実玄	北畠典生
各宗要義(下)	小林実玄	山崎慶輝	北畠典生

第三年度（昭和五十六年度）

科目	講師		
インド中国仏教史	野部了衆	北畠典生	
日本仏教史	堀大慈	福間光超	
真宗史	福間光超	堀大慈	
伝道要義	豊島学由	高橋隆真	森本覚修
同朋運動要説	森本覚修	岩本孝樹	仲尾孝誠

一、本書は、仏教学院における『和讃要義』（下）の教科用として著わしたものである。

一、本書は、学院における年間講義25週から30週までの講義用として編集した。

一、『和讃要義』の（上）は、『浄土和讃』と『高僧和讃』の要義を、この（下）は**『正像末和讃』の要義を伺い、通じて「三帖和讃」の大綱を講ずる講本として編集**

した。
一、『和讃要義』（下）の内容は、各項目を【本文】・【讃意】・【語釈】・【出拠】・【要義】に分けて釈述する。ただし、「誡疑讃」以下は本文と解題のみにとどめた。
一、和讃の本文は、『真宗聖教全書』巻二により、各首の番号（目次中のものを含む）も同書の番号によった。
一、本文中に略称を以て引用した文献と、その標示は次の如くである。

例

（真聖全・二・一）⟶『真宗聖教全書』巻二・一頁

（大正・九・一四下）↓『大正新脩大蔵経』巻九・一四頁下段

一、本書は、講本専門部会並びに編集委員会の議を経て、日野振作講師がこれを執筆編集し、加茂仰順講師がこれに協力した。

目次

第四章 誡 疑 讃 二十三首

第一章　序

「和讃」というのは、日本に芽生えた仏教歌謡の一種であり、それらの「和讃」の中で、その質においても量においてもその首位を占めるのが、親鸞聖人の「三帖和讃」である。そして、それは宗教的感情がいかんなく発揮された格調の高いものであり、その内容は仏祖・宗師の教えを基盤としながらも、広く一般の民衆を対象にして、共に讃仰同化せしめている点に特徴がある。

我が国土「日本」は、釈尊の誕生地インドより遠く離れ、またこの時代は、釈尊ご在世の時代より遙かに隔たった「末法」である。すなわち、まさしく末法に生れた凡夫とはわれらのことであり、この現実こそ末法のすがたである。この現実の社会のただ中にあって、釈尊の教法を明らかにされ、わたくしの救われていく真実の宗教、すなわち、ただ一筋に「生死出づべき道」をお示し下さったのが親鸞聖人である。このような末法到来の意識の自覚の上に立って撰述されたのが、この『正像末和讃』である。

聖人は、やがて滅する他の聖道諸教に反して、弥陀の本願は正法・像法・末法の三時にわたっていよいよ栄え、五濁の衆生を救うものであるとして、既成の教法に鋭い批判を加えられた。そして、末法の世の時機相応の教えとして、弥陀の「極上の教法」こそ「底下の凡夫」を生かす「真実の宗教」であることを示され、その生涯をかけて我々にこれを勧められた。そして、老衰にかすむ眼を拭いつつ撰述せられ、私たちに残して下さった聖人の最後のご化導が、この『正像末和讃』である。

三時思想

正・像・末とは、仏陀の教法の衰滅してゆく相状を明かすもので、教・行・証の三法の具欠によって、時代を正法・像法・末法の三期に分けて考える三時思想のことである。

そのなか、㈠正法の「正」は〈証〉と同意語であり、仏滅後五百年の間は仏陀の教えのとおり修行し、実際にさとる人がいた。つまり、教・行・証の三法がまどかに具わっているから、「正法の時代」と称する。

次に、㈡像法の「像」は〈似る〉の意味であり、正法以後の一千年間は、正法の時代に似て教と行の二法は存在するが、真証をひらくものがいないから、「像法の時代」と称する。

また、㈢末法の「末」は〈微(かすか)〉の意味であり、像法以後の一万年間は、仏陀の教えは残るが、行も証も見出すことができないから、「末法の時代」と称する。（それぞれの年数については異説があるが、今は省略する）

末法の意識

この末法を強く意識し、深刻に受けとめられたのは、中国にあっては道綽禅師（五六二〜六四五年）であり、日本においては伝教大師最澄（七六六〜八二二年）である。

道綽禅師が生れられた時は、仏滅後一千五百十一年目で、末法に入って十一年目に当る。禅師はこのことを深く自覚し、その著『安楽集』二巻において末法の意識を強調せられると共に、「聖浄二門判」や「約時被機」の論判をされて、時機に相応せる教法はただ浄土一門であることを、教義批判の上から説き示された。

また、伝教大師は『末法灯明記』を著わして、教界批判の上から無戒名字の比丘を弁護し、むしろ彼らを尊重すべきであることを提唱された。そして、正法時代の因襲・戒律をもって、末法を律すべきではないことを説かれたのである。

親鸞聖人は、この中国・日本の二大先駆者の末法観の上に立たれ、また自らも深く自覚されて、時機相応の宗教として浄土真宗をうち立てられたのである。

全体の構成

この『正像末和讃』の中で最も重要と思われるものは、「正像末浄土和讃」（三時讃）であり、親鸞聖人は本讃五十八首の終りに、「已上正像末法和讃五十八首」と付記せられている。全体の名目を『正像末和讃』とするゆえんは、この文にある。

この『正像末和讃』は、「夢想霊告和讃」（夢告讃）一首、「正像末浄土和讃」（三時讃）五十八首、「誡疑讃」（疑惑罪過和讃・疑惑讃）二十三首より成り、特に「誡疑讃」においては、主に『大経』にもとづいて仏智疑惑の如何に恐るべきものであるかを示され、弥陀の本願を疑うのが末法の相であると、これを強く誡められる。

次に「皇太子聖徳奉讃」（聖徳奉讃・太子讃）十一首では、太子を父母の慈愛に接するがごとくに敬慕され、さらに和国の教主と仰ぎ、仏恩に浴するのは偏に太子の力によると考えられて、ことに仏滅一千五百二十一年目に出世された太子を、この末法に弥陀の本願を弘めるために現われた方として讃嘆されておられる。

次に、「愚禿悲歎述懐」（述懐讃）十六首では、聖人ご自身のご述懐の上より、末法濁世の機を悲しみ、さらに濁乱の弊風を歎かれ、また「善光寺如来讃」（善光寺讃）五首では、仏敵である物部守屋のことを記し、その逆悪なることを傷嘆せられつつ、末法の有様を記されている。

そして最後に、「親鸞八十八歳御筆」「獲得と名号」「自然法爾」の法語、および別和讃二首がある。以上、計百十六首が収められてあるが、これらはすべて「文明本」

本典との関係

の順序に従ったものである。

浄土真宗の根本聖典である『顕浄土真実教行証文類』（教行信証・本典）一部六巻の精要を如何なる人々にも諷誦されるようにと、和語をもって撰述・讃嘆された聖典が「三帖和讃」である。このような背景を踏まえて、古来、先哲は「三帖和讃」を「和語の本典」と称讃し、漢文で書かれた『本典』と共に聖人の代表的撰述であり、最も大切な聖教として尊重してきた。

いまこの両者の関係を見てみよう。『教行信証』は真・仮六巻より成立し、「顕真実」を標榜する前五巻は真実の宗教である浄土真宗の全貌を開顕し、「顕方便」を標榜する後一巻は本末に分かれ、本においては権仮の宗教を、末においては邪偽と外教を批判する。そのうち、真実を標榜する前五巻の精要は、「行巻」の終り（真聖全・二・四三）に、

爾者、帰二大聖真言一、閲二大祖解釈一、信二知仏恩深遠一、作二正信念仏偈一曰。

という「正信念仏偈」に統括せられる。

また仮と偽を標榜する後の一巻の宗要は、「化身土巻」本（真聖全・二・一六七）に、

然拠二正真教意一披二古徳伝説一、顕二開聖道・浄土真仮一、教二誡邪偽異執外教一、勘二

決シテ如来涅槃之時代ヲ一、開ニ示ジス正像末法ノ旨シ際ヲ一。

と述べられ、仏滅年代を分けて考えられている。また、一代仏教を聖道・浄土に分けてその真仮を顕開され、さらに、真証に入る方法と時代区分を正・像・末の三時に分けて述べ、邪偽異宗の外教を批判されている。「三帖和讃」をこのような『教行信証』に対照するならば、前二帖は前五巻に、後の一帖は後一巻にそれぞれ対配せられるのである。

なお、「正信偈」を依経と依釈の二段に分けるという考え方に倣（なら）うならば、『浄土和讃』は依経段に、『高僧和讃』は依釈段に配せられる。ここに、「三帖和讃」が「和語の本典」と称せられるゆえんがある。

和讃の成立

さて、『正像末和讃』は、『浄土和讃』『高僧和讃』の二帖より約十年後に著わされ、最初の「夢告讃」は宗祖八十五歳のご製作であり、さらに八十八歳の老境にいたるまでこの述作に筆を染められたようである。このことは、宗祖が最初に和讃に手を染められた七十六歳から、「三帖一具」の功を終えられる八十八歳までの十三年間の集積が、この「三帖和讃」といえるのである。

この「三帖和讃」の異本と流伝、題号と撰号、撰述年代と編次内容等のことについては、編次の経路、現流諸本の形態、撰述の年次などから、独立か分離か、断欠か集合かなどと意見が分かれるところであるが、「三帖一具」の『和讃』とするにはいまだよく整備されていない点もあり、当初は『浄土和讃』と『高僧和讃』の二帖の製作のみで、『正像末和讃』製作のご意志はなかったのではないかとうかがわれる。すなわち「二帖一具」であって、『正像末和讃』はまったく別時の撰述による、と思われるのである。

ところが、文明五年（一四七三）、蓮如上人によって開版された宗祖の最後のご清書本である文明本、すなわち「本願寺本」では、不要なところを削除し、重要な点が補塡せられて、三帖を一具の体系に統摂し、同時に有機的な編集をされて、完璧に近い体裁を整えたものとなり、この本ならではうかがわれぬ独特な妙趣がある。

さて、この『正像末和讃』には、㈠真蹟本（高田専修寺蔵・国宝）、㈡顕智書写本、㈢文明本（蓮如上人の開版）、の三本が現存している。しかしながら、この三本の他にも異本がみられ「本願寺本」とても一回に成立したものではなく、それらの異同校勘について述べなければならないことが多いが、確かな記録があるわけではないので、ここでは省略することにする。

要するに「三帖和讃」は宗祖自らが再編成せられたもので、始終一貫した義脈によって「三帖一具」の体裁に組織化されている。そして「親鸞八十八歳御筆」とある点から見ると、この「本願寺本」は文応元年（一二六〇）の編成で、宗祖最後のご撰述であったと思われる。

和讃にはいろいろの形式があるが、聖人の場合は七五調四行で一首となっている。一紙に四行一首が書かれ、数首または数十首が一連となって、前後に前書や後書がついている。

また真蹟本によれば、「現世利益和讃」の和讃の文字に「ヤワラゲホメ」と左訓されているように、平明化を意図されていることがわかる。また漢字の右側には音読を示す振仮名がつけられ、さらに漢字そのものには四声（平声・上声・去声・入声）の圏発をほどこすなど、清濁・緩急・抑揚を示す記号が朱筆で加えてある。これらのことは、和讃の諷誦化を表明せられたものであるといえよう。

第二章　夢告讃　一首

一、本願の感得

【本文】【一】

①康元二歳丁巳二月九日夜②寅時③夢告云

④彌陀の本願⑤信ずべし　本願信ずるひとはみな
⑥攝取不捨の利益にて　⑦无上覺をばさとるなり

【讃意】『正像末和讃』一部の大綱で、夢の中に感得された和讃であり、弥陀の本願を信ずるだけで開けゆく唯一の大道を示す。

【語釈】①康元二歳……後深草天皇の康元二年（一二五七）で、この年の三月十四日改元されて正嘉となる。②寅時……午前四時頃。③夢告……聖徳太子の霊告とも、釈迦如来の霊告ともいい、夢にまで仏恩を感得せられた聖人の信仰のあついことを示している。④弥陀の本願……広くいえば四十八願全体であり、別していえば第十八願のことである。⑤信ずべし……聖人は夢告の中で、「弥陀の本願を信じなさいよ」と命じられる。

た。すなわち、「善信よ（親鸞聖人のこと）、よくこの本願を信ぜよ」と命令されたのである。⑥摂取不捨の利益……光明の中に摂め取って、捨て給わぬ利益。⑦無上覚……この上もないさとり。覚とは仏のさとりのことである。

【出拠】これは、聖人が夢のお告げそのままを記されたもので、経釈の出拠はない。

【要義】この一首は、『正像末和讃』一部の大綱で、聖人が八十五歳の時、すなわち康元二年二月九日の払暁（午前四時頃）、この一首の和讃を夢の中に感得せられた。

現代人は、夢などといえば何の価値もないように考えるが、時として、夢は平凡な事実よりもかえって真実の声を伝えることがある。聖人は、平常から夢にまで真実の声を聞き、それをおろそかになさらないほど真実を求め、真実に生きられた、と拝することができる。この夢告を縁として、八十五歳のご老体をもって『和讃』を書きとどめて下さったことは、何としても深い感激をおぼえる。釈尊入滅後二千有余年を過ぎた今は、末法の時代である。そのようなとき、ただ弥陀の本願を信ぜよ、また、信ずるばかりであるといわれた。この本願を信ずるものは、信の一念と同時に、時と処とをへだてずして、直ちに光明の中に摂め取って捨てないという利益により、われらはこの上もない仏のさとりをいただくことができる。

第三章　正像末浄土和讃　五十八首

一、末法到来の意識

(一) 遺法の衰滅

【本文】【二】

釋迦如來かくれましく〳〵て　二千餘年になりたまふ
正・像の二時はおはりにき　如來の遺弟悲泣せよ

【讃意】釈尊が入滅されて久しいことを、悲しみ歎くようにと呼びかける。

【語釈】①正・像の二時……すでに正法・像法の時代は過ぎ、今は末法の時代である（二一～三一頁参照）。②如来の遺弟……釈迦如来の遺された教法を修行する弟子。③悲泣……なげき悲しむこと。

【出拠】『安楽集』下巻（真聖全・一・四二七）の文

「釈迦牟尼仏一代、正法五百年、像法一千年、末法一万年、衆生滅尽諸経悉滅。……。」

【本　文】【三】

末法五濁の有情の　行・證かなはぬときなれば
釋迦の遺法ことごとく　龍宮にいりたまひにき

【讃　意】末法に入って遺法が滅してしまい、聖道の法がかくれてしまっていることを示す。

【語　釈】①有情……感情・意識のあるもの、衆生と同意。②行・証かなはぬとき……仏の教え通り如実に修行するものがなく、したがって、証果を得るものもない時代になったことをいう。③釈迦の遺法……釈尊の説き遺された法。すなわち聖道自力の教えをさし、次の和讃の「弥陀の本願」の語句に対していう。④龍宮にいりたまひにき……遺法がこの世から亡ぶこと。「顕智本」の左訓には「八大龍王ノミヤコナリ」、また「真蹟本」の左訓には「龍王ノミヤコヘイリタマフナリ」とある。

【出　拠】前出の和讃【二】に引いた『安楽集』下巻（真聖全・一・四二七）の文、および同上巻（真聖全・一・四一〇）の文

我末法時中億億衆生、起レ行修レ道未レ有ニ一人得者一。当今末法、現是五濁悪世…。

【本　文】【四】

正・像・末の三時には　彌陀の本願ひろまれり
像季末法のこの世には　諸善龍宮にいりたまふ

【讃　意】　弥陀法が盛んになり、次第に聖道門の諸法は衰え亡びゆくことを明かす。

【語　釈】　①像季……像法の時代の末期のこと。②諸善……釈尊のお遺し下さった善根を修する法。

【出　拠】　『安楽集』上巻（真聖全・一・三七八）の文

『大集月蔵経』云。「仏滅度後第一五百年、我諸弟子学慧得堅固。第二五百年、学定得堅固。第三五百年、学多聞・読誦得堅固。第四五百年、造立塔寺修福懺悔得堅固。第五五百年、白法隠滞多有諍訟。

【要　義】　聖道・浄土の二教の興亡を述べるなか、この三首は末法到来の痛感を示されたもので、実に『正像末和讃』の主題となるものである。そして、聖道諸教の衰えた相をあげ、末法到来の意識にもとづいて聖浄二教の通塞を論判し、聖道諸教を捨てて弘願の一法に帰すべきことを述べられている。

聖人は、このような闇黒の世の現実を悲しみ、末法五濁の世に時機相応の教えのあることを、すなわち、弥陀の本願に遇いえたことを喜ばれた。この悲喜をもって『正像末和讃』は製作されたのであり、それらの中で、特にこの三首はその総讃ともいうべきものである。

なお、親鸞聖人の末法思想の根拠は、『教行信証』「化巻」を見ると明らかである。そこでは、『安楽集』の要文を抜粋するとともに、『末法灯明記』がほとんど全文引用され、これらを末法意識を自覚する上の有力な材料とされていることを指摘しておきたい。

ここに、いよいよ末法の意識が自覚にまで深められた聖人は、「愚禿」の覚知により、自力聖道教を捨てて他力浄土教に帰し、絶対救済の宗教は、ただ弥陀の本願のみであることを開顕された。

㈡　五濁の諍相

(1)　澆末の思想

【本　文】【　五　】

『大集經（だいじふきやう）[1]』にときたまふ　この世（よ）[2]は第五（だいご）[3]の五百年（ごひやくねん）

鬪諍堅固（とうじやうけんご）[4]なるゆへに　白法隱滯（びやくほふおんたい）[5]したまへり

【讃　意】『大集経』を引いて、第五の五百年という末世の「時」を明らかに示す。

【語　釈】①『大集経』……くわしくは『大方等大集経』（月蔵分）という。②この世……宗祖ご存命の時代。③第五の五百年……仏滅以後の年代を五百年ずつに区切って考える思想である、五堅固説による第五番目の五百年である。聖人がこの和讃を製作されたのは、ご自分で仏滅二千二百四年と算定しておられるから、すでに第五の五百年に入って二百四年目に当ることになる。④闘諍堅固……自分の教法だけが正しくかつ勝れており、他の教法は劣っているとして相争ってゆずらないこと。第五の五百年時代の乱れた様相。⑤白法隠滞……白法とは善法と同じ意味であるが、それは三学（戒・定・慧）や六度（六波羅蜜）等の諸善（自力の善根）をさす。また隠滞とは、かくれてすたれることをいう。

【出拠】前出の和讃【四】に引いた『安楽集』上巻（真聖全・一・三七八）の文に同じ。なお、『教行信証』「化巻」本（真聖全・二・一六七～一七四）には、この『安楽集』上巻の文、ならびに『末法灯明記』の文が引かれている。

【要義】仏教の澆末（ぎょうまつ）思想として、古来、三時思想のほかに五堅固説と五濁悪世の思想がある。いま『正像末和讃』は、三時思想を高潮するばかりでなく、広く仏陀在世の時をも包括して、一般社会が漸次濁悪に傾いていくという『悲華経』などに説かれる澆末思想をおり込んで、いよいよ末法到来の意識を覚知し、それを具体的に表示して、現実的にとらえているのである。

今讃は、『大集経』詳しくは『大方等大集経』巻五十五・月蔵分（大正・十三・三六三

上〜中）の、

我が滅後の五百年の中に於いて、諸比丘等、なお我が法に於いて解脱堅固ならむ。次の五百年に我が正法禅定三昧を得ること堅固ならむ。次の五百年に読誦多聞に住するを得ること堅固ならむ。次の五百年に我が法の中に於いて多く塔寺を造るに住するを得ること堅固ならむ。次の五百年に我が法の中に於いて闘諍言頌、白法隠没、損減堅固ならむ。（原漢文）

という五堅固説によっている。五堅固説は、仏滅を基準として教法の衰滅していく相状を示す点においては三時思想と同じであるが、その年代区分・衰退の相状については、三時思想よりさらに詳細である。

この経証によれば、仏滅以後を五百年ずつに区切り、解脱・禅定・多聞・造塔・闘諍の五堅固を各年代にあてると「二千余年になりたまふ」当今は、正に「第五の五百年」に相当し、それが単なる末法到来だけではなく、「闘諍堅固・白法隠没」の恐ろしい時代と説かれている。

このような時代に、「清らかな美しい善行は、どこにも見ることはできない。我も人もただ議論と嫉妬でもって諍っている。この時に当ってどうして聖道の修行をなし得るだろうか」と説かれ、一方で、念仏には変遷のないことを示されているのである。

(2) 五濁の増盛

【本文】【六】

數万歳の有情も　果報やうやくおとろへて
二万歳にいたりては　五濁悪世の名をえたり

【讃意】 劫濁、すなわち人の寿命が次第に短くなっていき、世の濁る相を明かす。

【語釈】 ①数万歳の有情……『婆沙論』・『瑜伽論』等によるに、「世界ができた初めにおいては、人間の寿命は非常に長かったが、だんだん短くなって八万歳となり、さらに百年毎に一歳ずつ減じて、最後には十歳にまでなる。しかし、それを過ぎると百年毎に寿命が一歳ずつ増して人寿八万四千歳の時代となる」とある。聖人がいま「数万歳の有情」といわれるのは、人寿八万歳の時代の衆生である。②五濁……㈠劫濁（時代の濁りで、病気や戦争などいろいろな災いの濁りにあふれる時代）、㈡見濁（邪見が盛んで、思想が濁ること）、㈢煩悩濁（三毒の煩悩があばれ狂って、衆生の心を悩ますこと）、㈣衆生濁（衆生は道を畏れず、徳を修めず、いろいろの濁りが衆生の心や身の上にあること）、㈤命濁（煩悩が盛んで邪見も強く、時代が濁ってきて人に中夭のものが多いこと。すなわち命が濁ること）

【出　拠】『悲華経』巻五（大正・三・二〇〇中）の文

初入五濁悪世時、人寿命満二万歳、盲無慧眼。

【本　文】【七】

劫濁のときうつるには　有情やうやく身小なり
五濁悪邪まさるゆへ　毒蛇悪龍のごとくなり

【讃　意】衆生濁、すなわち人間の身と心とが、だんだん悪くなる相を明かす。

【語　釈】①劫濁……五濁の一。（前讃の「五濁」の註を参照）②有情やうやく身小なり……『仏祖統紀』巻三〇（大正・四九・二九九上）には、『長阿含経』によって「八万四千歳に至る時、身長八丈なり。百年に命一年を減じ、身一寸を減ず。かくの如く減じて十歳に至りて身長一尺なり」とある。すなわち、人間の身体が年を経るごとにだんだん小さくなること。③悪邪……心が悪く、よこしまなこと。④毒蛇悪龍……心の恐ろしさ、あさましさを毒蛇や悪龍に喩えたもの。

【出　拠】『法事讃』下巻（真聖全・一・六〇四）の文

釈迦出現甚難逢。正治五濁時興盛。無明頑硬似高峰、劫濁時移身漸小、衆生濁悪等蛇龍。

【本　文】【一八】

无明煩悩しげくして　塵數のごとく遍満す

愛憎違順することは　高峯岳山にことならず

【讃　意】煩悩濁、すなわち煩悩が数限りなく多くなる相を明かす。

【語　釈】①無明煩悩……無明とは心の暗いこと、煩悩と同意。②塵数のごとく遍満す……濁世には、塵のように数多くの煩悩が遍満している、という意。③愛憎違順……心に順うものを貪り愛し、心に反するものを憎しみ怒ること。④高峯岳山……高峯とは、煩悩が根強く、愛憎が違順して不平等であることを喩えたもの。われわれの心に煩悩悪業がまさり、高山や岳山のように、煩悩が次第にふくれ上がって大きくなっている様相をあらわす。

【出　拠】『法事讃』下巻（真聖全・一・六〇四）の文（前讃の続きの文）

悩濁偏満　過二塵数一、愛憎違順　若二岳山一。

【本　文】【一九】

有情の邪見熾盛にて　叢林棘刺のごとくなり

念佛の信者を疑謗して　破壊瞋毒さかりなり

【讃　意】見濁、すなわち衆生の見解に邪見がはげしく、正法を疑謗する相を明かす。

【語　釈】①邪見……正しくない見解。②熾盛……火の燃え上がるように盛んなこと。③蒺林棘刺……蒺林とはくさむら・はやしのことで、邪見の盛んなることを喩えたもの。棘刺とはとげのついたいばらのことで、邪見の恐ろしいことを喩える。④破壊瞋毒……念仏に対する破壊心と、いかり・はらだちの心をいう。

【出　拠】『法事讃』下巻（真聖全・一・六〇四）の文（前讃の続きの文）

見濁蒺林如ニ棘刺一……。

【本　文】【一〇】

①命濁②中夭刹那にて　③依正二報滅亡し
④背正帰邪まさるゆへ　⑤横にあだをぞおこしける

【讃　意】命濁、すなわち時の経過に従って人の寿命は次第に短くなっていき、若死にする相を明かす。

【語　釈】①命濁……五濁の一つで、末世になると人の寿命がだんだん短くなること（一七頁「五濁」参照）。②中夭刹那……中夭とは寿命をまっとうすることなく、若死にすること。刹那の原意はもっとも短い時間のことで、弾指（指をはじくこと）の間を一刹那という。ここでは「無常迅速」とか、「電光朝露の夢幻のあいだ」というような短い命のことをいう。③依正二報滅亡し……「正報」とは、「ひとのいのち」や心身をいい、「依報」とは、田畑・山林・金銀・家屋などの財産から、衣服・道具などの物が報われていることをいい、死する時、この二報がなくなることをいう。④背正帰邪……仏教の正しい道に背き、邪道を好み、それに帰依する人間が多くなること。⑤横……仏教の正しい道理に背いて、よこしまなこと、無道なこと。

【出拠】　『法事讃』下巻（真聖全・一・六〇四）の文（前讃の続きの文）

命濁中夭刹那間。依正二報同時滅、背正帰邪横起怨。

【要義】　ここでは五濁悪世の様相を示す。【六】首では、総じて五濁の起る時代を示し、まず劫濁を示す。【七】首には衆生濁、【八】首には煩悩濁、【九】首には見濁、【一〇】首には命濁の有様を出して、いよいよ五濁増盛の時であることが示されてある。

劫濁・衆生濁・煩悩濁・見濁・命濁と、時代が次第するにつれて、人間の知恵が漸次に増し、文明が開け、文化が進むことは極めて結構なことであるに違いないが、それがために生活が自然に背くようになり、だんだんと身体が弱まり、病気がちになって、人びとは若死にするようになる。そして悪い知恵が増してくる。これが末法五濁悪世の有様である。

いまこの五濁悪世の思想は、末法深化の相状を描き、国土・人間・社会・個人・肉体など、依正二報のすべての果報が滅亡してしまう有様を描いたものである。正理に背き、邪道につかえ、道ならぬ怨みをかまえていがみ合う、正にこれが今日の末法五濁の有様である。この和讃を理解するためには、特にその背景となった時代、すなわち平安時代末期から鎌倉時代の、戦乱に明け暮れた「暗黒の中世」「恐怖の時代」ともいうべき深刻な世相、有為転変の人生、極まりない社会の世相を充分認識して、考察する必要がある。

㈢ 唯有一道

【本　文】【一一】

末法第五の五百年[1]（まちぼふだいごのごひやくねん）　この世の一切有情の（よのゐちさいうじやう）

如來の悲願を信ぜずば[2]（によらいのひぐわんをしん）　出離その期はなかるべし[3]（しゆちりのご）

【讃　意】　末法五濁の時代に、衆生の救われる道はただ弥陀の本願を信ずる以外にないことを明かす。

【語　釈】　①末法第五の五百年……一四～一六頁参照。②如来の悲願……阿弥陀如来の大悲の誓願、すなわち「一切の衆生を救わねば正覚を取らじ」と誓われた第十八願のこと。

③出離その期はなかるべし……生死の迷界を出離し、さとりへ向かう機会は、如来の悲願を信じる以外にはないであろうということ。

【出拠】『安楽集』上巻（真聖全・一・四一〇）の文

当今末法、現是五濁悪世、唯有浄土一門可通入路。」是故『大経』（巻上意）云。「若有衆生縦令一生造悪、臨命終時十念相続称我名字、若不生者不取正覚。」

【本文】【一二】

九十五種世をけがす　唯佛一道きよくます
菩提に出到してのみぞ　火宅の利益は自然なる

【讃意】仏法と邪教とを対比して、唯仏一道、願力自然の世界に生かされている広大な利益を明かす。

【語釈】①九十五種……インドにおける仏教以外の教え、外道のこと。②世をけがす……世間の人を迷わし、汚すこと。③唯仏一道きよくます……唯仏一道とは弥陀の悲願のことで、ただ仏の一道のみが清浄にしてけがれのないこと。④菩提に出到……菩提とは仏果のこと。迷いの世界を出て仏果菩提に到ること、すなわち浄土に往生することをいう。⑤火宅……娑婆世界のこと。『法華経』巻二の「譬喩品」（大正・九・一四下）に、「三界は安きことなし、猶し火宅の如し。衆苦充満せり、はなはだ怖畏すべし」とあって、この娑婆世界は、生老病死・三毒・五欲に焼かれているから火宅という。⑥自然……他力自然、如来の願力のしからしむることをいう。

【出拠】『法事讃』下巻（真聖全・一・六〇四）の文

九十五種皆汚スレ世ヲ、唯仏ノ一道独リ清閑ナリ。出二到シテ菩提ニ一心無クレ尽クルコト、還二来シテ火宅ニ一度セン二人天ヲ一。

【要義】平安末期の仏教界は乱れに乱れ、戦乱におののく民衆を庇護し、闇黒の社会を指導していくべき立場にありながら、俗界より乱れていた。聖地であるべき寺塔は僧兵の巣窟となり、霊場であるべき精舎は阿修羅の庭と化する有様であった。この辺の消息は史実にも明らかであり、貴族と武家、武士と僧兵、山門と寺門、学生（がくしょう）と堂衆などが入り乱れて、いつ果てるともわからない戦乱が続き、民衆の心をいよいよ恐怖の念に追いやったのである。

かかる時に当って親鸞聖人は、今は「三時」中の末法であり、「五箇五百年」中の第五の五百年であるから、このような時代に生れあわせたものは、ただ阿弥陀仏の大悲の誓願を信ずるより外に、断じて迷いを出で離れることはありえない、とお示し下さったのである。また、今の世（五濁悪世）は、九十五種というような邪悪な宗教（外道）、すなわち、異学異見が林のように各々門戸を張って、世の人びとの心を汚そうとしている。この時に当って、清く正しきは阿弥陀仏の本願の一道のみである。末世の衆生は、この開かれた唯一の白道である本願に帰命して仏果に到り、然る後に再び娑婆世界に還来して、一切衆生を思いのままに利益しようと誓われた本願によって、仏のさとりを開くべきことを示されている。

(四) 念仏疑謗への悲歎

【本　文】【一三】

①五濁（ごぢょく）の時機（じき）いたりては　道俗（だうぞく）ともにあらそひて

念佛信（ねむぶちしん）ずるひとをみて　②疑謗破滅（ぎはうはめち）（ウタガフソシルヤブル）さかりなり

【讃　意】五濁増の時代が来て僧俗ともに争い、念仏の行者を疑い、謗（そし）り、滅ぼしたりすることが盛んになることを明かす。

【語　釈】①五濁の時機いたり……時代は濁乱の末世となり、機も邪見の衆生となることをいう。②疑謗破滅……念仏者を疑い、謗って、これを破滅しようとすること。

【出　拠】【一三】【一四】二首とも、『法事讃』下巻（真聖全・一・六〇五）の文

五濁増時多疑謗、道俗相嫌不用聞。見有修行起瞋毒、方便破壊競生怨。如此生盲闡提輩、毀滅頓教永沈淪。超過大地微塵劫、未可得離三塗身。

【本文】【一四】

①菩提をうまじきひとはみな　②専修念佛にあだをなす
③頓教④毀滅のしるしには　⑤生死の大海きはもなし

【讃意】 念仏を疑謗する罪は重く、それをなせば生死の大海に永く沈んで、迷いの世界から永久に逃れ出ることはできないことを示して、その罪過を明かす。

【語釈】 ①菩提をうまじきひと……永久にさとりを開き、仏になることができない人をいう。②専修念仏……本願を信じて、専ら念仏を修すること。③頓教……漸教に対する語で、速やかに成仏する教え、専修念仏をさす。すなわち造悪無碍の凡夫が、本願の念仏を信ずるのみで、命終れば直ちに往生成仏することができるから、頓教という。また漸教とは、長い間修行して功を積み、成仏する自力修行の教え。④毀滅のしるし……毀滅とは、謗り滅ぼすこと。すなわち頓教である念仏成仏の法を謗り、滅ぼしたことによって、自らその果報を受けていくことをいう。⑤生死の大海きはもなし……永い間、生死の海に沈んで、苦悩から逃れ出ることができないこと。大海の果てしがないことに喩えてある。

【要　義】

この二首の和讃は、恐らく「承元の法難」によって法然聖人は土佐の幡多、親鸞聖人は越後の国府へ流罪にあわれたことなどを回顧しつつ、述べられたものであろう。当時、浄土教教団は他の既成仏教教団から悪法を説くものとして敵視されていた。そのため、社会的災難や社会秩序の混乱などさえも、浄土教に起因するとして、いわれなき責めを受けたことを、考慮しておく必要がある。

それは、『教行信証』の「後序」（真聖全・二・二〇一）にある「承元の法難」の心情をしたためられた殉難の手記をうかがえば明白である。すなわち、

竊以、聖道諸教行証久廃、浄土真宗証道今盛。然諸寺釈門昏レ教兮、不レ知二真仮門戸一。洛都儒林迷レ行兮、無レ辯二邪正道路一。斯以興福寺学徒、奏二達太上天皇（号二後鳥羽院一諱尊成）今上（号土御門院諱為仁）聖暦、承元丁卯歳、仲春上旬之候一。主上・臣下、背レ法違レ義、成レ忿結レ怨。因レ茲、真宗興隆太祖源空法師、并門徒数輩、不レ考二罪科一猥坐二死罪一。或改二僧儀一賜二姓名一処二遠流一、予其一也。

とある文と対比して、今この和讃を考察すると、僧俗ともに念仏にあだをなしたこと

に対する、聖人のはげしいいかりが感ぜられる。

二、浄土の菩提心

㈠ 聖道の難証

【本 文】【一五】

①正法の時機とおもへども　②底下の凡愚となれる身は
清浄眞實のこゝろなし　③發菩提心いかゞせん

【讃 意】たとえ正法というすぐれた時代に生れたとしても、この下品下生の凡夫の身においては心が劣っており、到底、菩提心を発すことができなかったであろうことを示す。

【語 釈】①正法の時機とおもへども……たとえ正法の時代に生れた衆生は、よいことであろうと思っても。②底下の凡愚……日々の行動において、自己中心的に生き、心の劣った愚劣な凡夫をいう。③発菩提心いかゞせん……どうして菩提心（さとりを求めて、仏になろうとする心）を発して、さとりをうることができようか。

【出 拠】『安楽集』下巻（真聖全・一・四二二）の文
然修道之身相続不絶、経一万劫始証不退位。当今凡夫現名信想軽毛、亦曰仮名、亦名不定聚、亦名外凡夫。未出火宅。

【本文】【一六】

自力聖道の菩提心　こゝろもことばもおよばれず
常没流轉の凡愚は　いかでか發起せしむべき

【讃意】自力聖道の菩提心は広大にして深遠であり、とても常没流転の愚かな凡夫では発起し得ないことを示す。

【語釈】①自力聖道の菩提心……自力をもってこの世での成仏、さとりを求める心。②常没流転……常没とは、常に生死の迷いに沈み、浮かび上がることができないこと。流転とは、流れる水が止まらないように、また回転している車が止まらないように、迷いの生の尽きぬことをいう。

【出拠】『安楽集』下巻（真聖全・一・四二一）の文
但一切衆生莫不厭苦求楽畏縛求解。皆欲早証無上菩提者先須発菩提心為首。此心難識難起。

【本文】【一七】

三恒河沙の諸佛の　出世のみもとにありしとき
大菩提心おこせども　自力かなはで流轉せり

【讃意】たとえ仏在世の時に菩提心を発しても、凡夫は自力では仏になることはできなかったであろうことを明かす。

【語釈】①三恒河沙の諸仏……数の多いことを恒河（ガンジス川）の砂に喩えて、それを三倍にしたほどの数限りない多くの諸仏をいう。

【出拠】『安楽集』下巻（真聖全・一・四二一）の文

縦令発二得此心一、依レ経終須下修二十種行、謂信・進・念・戒・定・慧・捨・護法・発願・廻向一進中詣菩提上。然修道之身相続不レ絶、経二一万劫一始証二不退位一。

及び、『安楽集』上巻（真聖全・一・三八〇）の文

若有下於二三恒河沙等仏所一発中菩提心上、然後乃能於二悪世中一不レ謗二是法一、書二写経巻一。雖二為レ人説一未レ解二深義一。

【要義】この一連の三首は、末世の凡夫の自力の菩提心が成じ難く、たとえ発しても悟り難いことを示している。すなわち、第一首【一五】は凡愚の反省、第二首【一六】は自力の発心し難いことを示して、併せて凡夫の発心し難いことを示す。また、第三首【一七】は、たとえ発心したとしても、やはり証悟し難いことを示している。

いま、これらの趣意をうかがうに、親鸞聖人のように、自ら「愚禿」と名のるほど内省が強く、自己を見つくされた方は他にないように思われる。聖人は、自ら「底下

の凡愚」として如来の前にひざまずき、自己の存在を深くみつめられた。その「底下の凡夫」は、「末法」のみの人間のすがたではなく、「正法」「像法」の三時に通じた本然のすがたであり、まさしくいつの世にも変らぬ人間のすがたである。私には、清浄の心もなく、真実の思いもなく、雑毒虚仮の善しか作れない。すなわち、「外に賢善精進の相を、現ずることを得ざれ、内に虚仮を懐ければなり」（原漢文）（真聖全・二・五一）といわれるごとく、表面ばかり飾っても、内に真実の心は少しもないところの一生造悪の凡夫である、という深い自覚が生れた。そこから聖人は、どうして心に思い計ることのできない自力聖道の菩提心を発すことができようか、と自問され、到底できない自己にめざめ、脚下に底知れぬ真暗な深淵が横たわっていることにおどろかれ、「三恒河沙」の流転の悲歎が生れてきたのである。

このような意味で、末世の凡夫が、自力の修行や自力の大菩提心を成ずることの難しいことを示されたのである。

【本　文】　**【一八】**

(二)　二尊二教の興廃

①像末五濁の世となりて　釋迦の遺教かくれしむ
彌陀の②悲願ひろまりて　③念佛往生さかりなり

【讃　意】　釈迦の遺された教え（聖道門）が衰退するのに対して、弥陀の本願（浄土門）が弘まって盛んに信奉されることを明かす。

【語　釈】　①像末……像法と末法（二一頁参照）。②悲願……大悲の誓願、すなわち第十八願のこと。③念仏往生……念仏を信じ、称えて往生すること。本願に順い、阿弥陀仏の御名を信じ、称えて往生するから、「念仏往生」あるいは「念仏成仏」という。

【出　拠】　『大無量寿経』下巻（真聖全・一・四六）の文

当来之世、経道滅尽、我以二慈悲一哀愍、特留二此経一、止住百歳。

及び、『安楽集』上巻（真聖全・一・三七九）の文

寔由二衆生去レ聖遥遠、機解浮浅暗鈍一故也。是以韋提大士自為及哀三愍末世五濁衆生輪廻多劫徒受二痛焼一故、能仮遇二苦縁一諮二開出路一豁然。大聖加レ慈勧二帰極楽一。若欲二於レ斯進趣一勝果難レ階。唯有二浄土一門一可二以レ情悕趣入一。

【要　義】　この一首は、五濁悪世の時機には聖道の教えは廃退し、浄土の教えのみが隆盛をきわめることを讃じたもので、上に釈尊の遺教の衰退を示し、次いで弥陀悲願の興隆をあげるために、承上起下としておかれた一首である。すなわち、この和讃は初め「二句」は上を承け、後の「二句」は下を起したものである。

前の【一七】首で述べられているように、像法から末法へと時代が移るに従って、五濁増はいよいよはなはだしくなった。その結果、釈尊が説き遺された聖道自力の教えは漸次に衰え、完全にすたれ果て、弥陀大悲の本願の一法のみが弘まり、六字の名号によって往生することが盛んになってきたのである。その弥陀大悲の本願とは、一体何を意味するのかについて、以下の一連の和讃がその趣旨を明らかにしている。

㈢　浄土の易修

【本　文】【一九】

①超世无上に攝取し　②選擇五劫思惟して
③光明・壽命の誓願を　④大悲の本としたまへり

【讃　意】阿弥陀仏の本願・大悲の根本を示す。すなわち、法蔵菩薩となって四十八願を建立し、成就された阿弥陀仏が、ことに第十二（光明無量）・第十三（寿命無量）の誓願を衆生救済の根本の願とされたことを明かす。

【語　釈】①超世無上に摂取し……三世十方の諸仏に超えすぐれた無上の誓願の中より、さらによいものを取って本願を建てられたことをいう。②選択五劫思惟して……諸仏の本願より美を選び、善を選びぬいて、五劫という永い間、その可否を思い考えられたこと。「選択」と「摂取」とは同義である。③光明・寿命の誓願……光明無量の願（第十二願）と、寿命無量の願（第十三願）のこと。④大悲の本……衆生を摂取する大悲の根本のこと。

【出拠】『大経』上巻（真聖全・一・七）の文

具足五劫、思惟摂取荘厳仏国清浄之行。阿難白仏。彼仏国土寿量幾何。仏言。其仏寿命四十二劫。時法蔵比丘、摂取二百一十億諸仏妙土清浄之行。

さらに、第十二願＝光明無量の願文、第十三願＝寿命無量の願文による。

【本文】【二〇】

①浄土の大菩提心は　②願作佛心を③すゝめしむ
④すなはち願作佛心を　⑤度衆生心となづけたり

【讃意】浄土の大菩提心の相を明かす。

【語釈】①浄土の大菩提心……自力聖道の菩提心に対し、他力浄土の菩提心をいう。聖人は「信巻」（真聖全・二・六八～六九）に、この「菩提心」を二種に分け、頓教と漸教、さらに聖道門と浄土門の違いがあると説明されている（次頁の図を参照）。

今、浄土の大菩提心とは、横超の弘願真宗の菩提心のことで、純他力の信心のことである。

竪の菩提心─┬─竪超─聖道実大乗教の菩提心
　　　　　　└─竪出─聖道権大乗教の菩提心

横の菩提心─┬─横超─浄土弘願真宗の菩提心
　　　　　　└─横出─浄土要門・真門の菩提心

②願作仏心……自分が仏になりたいという心、すなわち自利の願心をいう。③すゝめしむ……凡夫は自利利他の大菩提心を発すことができないから、自利の願作仏心を勧められたことをいう。④すなはち……弥陀廻向の信心は自利利他円満であるから、自利の願作仏心がそのまま、度衆生心となる。⑤度衆生心……一切衆生を済度したいという、利他の願心のこと。

【出　拠】　【二〇】・【二一】・【二二】の三首は、『往生論註』下巻（真聖全・一・三三九）の文

案ズルニ王舎城所説ノ『無量寿経』ヲ一、三輩生ノ中ニ雖モ三行ニ有リト二優劣一、莫シレ不ルハ三皆発セ二無上菩提之心ヲ一。此ノ無上菩提心トイフハ、即是レ願作仏心ナリ。願作仏心ハ即チ是レ度衆生心ナリ。

及び、同じく『論註』下巻（真聖全・一・三四七）の文

凡ソ是レ生ズルト二彼ノ浄土ニ一及ビ彼ノ菩薩人天ノ所起ノ諸行ハ皆縁ルガ二阿弥陀如来ノ本願力ニ一故ナリ。

【本　文】【二一】

度衆生心といふことは　①彌陀智願の廻向なり
②廻向の信樂うるひとは　③大般涅槃をさとるなり

【讃　意】浄土の菩提心が、大般涅槃をうるという自利も成就することを明かす。

【語　釈】①弥陀智願の廻向……如来の無漏清浄の智慧より起った本願力によって、如来より廻向される衆生救済の活動相のこと。廻向とは廻転趣向の義。②廻向の信楽……阿弥陀仏の本願から廻向される他力信心のこと。③大般涅槃……煩悩を滅して苦海を度することで、大滅度とも訳す。小乗の涅槃に対して大乗の涅槃である仏のさとりをいう。

【本　文】【二二】

①如來の廻向に②歸入して　願作佛心をうるひとは
自力の廻向をすてはてゝ　③利益有情はきはもなし

【讃　意】同じくこの菩提心が、有情を利益するという利他を成就することを明かす。

【語　釈】①如来の廻向……往相・還相の二廻向のこと。②帰入……如来の本願の海に帰依して、みずからの心を投げ入れることをいう。如来の廻向を信ずること。③利益有情……衆生を利益し、救済すること。

【要　義】この四首の和讃は、前出「㈠　聖道の難証」の項の【一五】・【一六】・【一七】の三首において、聖道の成仏し難い理由を述べたのに対して、今は総じて浄土門の成仏し易い理由を示したものである。

まず他力の菩提心をたたえられ、【一九】首で、法蔵菩薩は因位の時、五劫という永い間の思惟により誓願を建立せられ、諸仏国土中より善好であるもののみを選択・摂取されたことを述べ、浄土門（第十八願）の利益大悲の根本を明らかにされる。次に、【二〇】首では浄土の大菩提心の相を示し、【二一】首で、度衆生心が願作仏心を満足せしめることを述べ、【二二】首に至って、願作仏心が、度衆生心を満足せしめることを述べ、大悲廻向の信心であることを明らかにされるのである。

そもそもこの信心とは、浄土の往生を願う大菩提心であり、これを「願作仏心」と教示される。すなわち、「われ仏とならん」と願う心は、そのまま「度衆生心」（衆生を救う心）とも名づけられる。このように、弥陀の本願を信ずる心は、「願作仏心」の自利性と、「度衆生心」の利他性とを兼ね備えているのである。

このようにして、浄土の大菩提心は、横超の大菩提心であり、実に選択本願の真実心であって、本願の名号、すなわち南無阿弥陀仏の妙行を信受した心にとどいたものであることが判明する。それは決して、わたしたちの自力の計らいによるものではなく、まったく他力のご廻向によるのである。それは、信行ともに弥陀廻向の法であって、われわれの祈りや、願求によって作り出されたものではないのである。

(四) 信心の勝徳

【本文】【二三】

彌陀の智願海水に① 他力の信水いりぬれば
眞實報土のならひにて② 煩惱・菩提一味なり③

【讃意】喩えをもって信心の利益を示し、信心をうれば報土に往生して煩悩をも転じ、菩提と一味のさとりを得ることを明かす。

【語釈】①智願海水……弥陀果上の智慧で、本願やさとりを海の水に喩えている。②ならひ……きまり・習慣のことで、真実報土の自然の徳をあらわす。③煩悩・菩提一味……煩悩が、そのまま転じて菩提となること。

【出拠】『往生論註』上巻（真聖全・一・二八七）の文

性是必然義、不改義。如下海性一味衆流入者必為二一味一海味不中随レ彼改上也。

同じく『往生論註』下巻（真聖全・一・三一九）の文

有二凡夫人煩悩成就一亦得レ生二彼浄土一、三界繋業畢竟不レ牽、則是不レ断二煩悩一得二涅槃分一……、焉可二思議一。

【本　文】【二四】

如來二種の廻向を　ふかく信ずるひとはみな
等正覺にいたるゆへ　憶念の心はたへぬなり

【讃　意】他力廻向の信心を得る者は、現生において等正覚に至るので、信心相続して退転のないことを明かす。

【語　釈】①二種の廻向……往相・還相の二廻向をいう。②等正覚……仏（五十二位）より一位下の菩薩、すなわち五十一位まで上った菩薩で、正定聚の位をさす。③憶念……弥陀の本願を心に確かに憶いたもって、常によろこびの心が絶えぬこと。

【出　拠】【二四】・【二五】の二首は、いずれも『大経』上巻（真聖全・一・九）の第十一願の文

設我得仏、国中人天、不住定聚、必至滅度者、不取正覚。

及び、『無量寿如来会』上巻（真聖全・一・一九〇）の第十一願の文

若我成仏、国中有情、若不決定成等正覚証大涅槃者、不取菩提。

【本　文】【二五】

彌陀智願の廻向の　信樂まことにうるひとは
攝取不捨の利益ゆへ　等正覺にいたるなり

【讃　意】摂取不捨の利益により、現生において等正覚に至ることを明かす。

【語釈】①信楽……三心（至心・信楽・欲生）の一つで、疑いなく如来の救いを信じて歓喜愛楽する心。②摂取不捨……光明の中に、念仏の衆生を摂め取って捨てないこと。

【本文】【二六】

五十六億七千万　彌勒菩薩はとしをへん
まことの信心うるひとは　このたびさとりをひらくべし

【讀意】信心獲得の行者は、五十六億七千万年を経て成仏される弥勒菩薩よりも、早く仏果をさとることを明かす。

【語釈】①五十六億七千万……『菩薩処胎経』「三世等品」の終りにある、弥勒菩薩が五十六億七千万年の後に兜率天からこの人間世界へ下生して、法を弘められるという年数のこと。②弥勒……梵語ではマイトレーヤ（Maitreya）で、「慈氏」とも訳す。もとは南天竺（インド）の婆羅門の子であったが、この釈迦の仏位をつぐ菩薩となり、今は現に兜率天の内院におられるが、五十六億七千万年後にこの人間界に下生して、仏になられると伝えられている。今ここでは、弥勒菩薩が自力で仏になろうとすれば、五十六億七千万年もの長い年月を経なければ仏になれないのに対して、他力念仏者は、等正覚の位に入るのであるから、弥勒菩薩よりも早く仏になれるのである。③このたびさとりをひらくべし……聖人が『本典』「信巻」に「臨終一念の夕べ、大般涅槃を超証す」（真聖全・二・七九）と述べられているように、この現実の生涯を終えると同時に、さとりを開き、仏になることができるのである。

【出拠】

【二六】・【二七】・【二八】の三首は、『大経』下巻（真聖全・一・四四）の文

仏告二弥勒一。於二此世界一、有二六十七億不退菩薩一、往二生彼国一。一一菩薩、已曽供二養無数諸仏一。次如二弥勒一者也。

及び、龍舒居士王日休の『浄土文』にそえられた唯心居士の跋文には、「一念往生、便同二弥勒一」とあるが、聖人はこの『浄土文』を「信巻」末（真聖全・二・七九）に引き、さらに私釈して次の如く述べられている。

真知、弥勒大士、窮二等覚金剛心一故、龍華三会之暁、当レ極二無上覚位一。念仏衆生、窮二横超金剛心一故、臨終一念之夕、超二証大般涅槃一。故曰二便同一也。

【本文】【二七】

念佛往生の願により　等正覺にいたるひと
すなはち彌勒におなじくて　大般涅槃をさとるべし

【讃意】

第十八願により等正覚にいたる人は、弥勒菩薩と同位であるから、往生すれば直ち

に必ず大涅槃をさとることを明かす。

【語　釈】①念仏往生の願……第十八願のこと。「乃至十念若不生者」による願名。

【本　文】【二八】

眞實信心（しんじちしんじむ）うるゆへに　すなはち定聚（ぢやうじゆ）①にいりぬれば
補處（ふしよ）②の彌勒（みろく）におなじくて　无上覺（むじやうかく）③をさとるなり

【讃　意】真実信心をうる人は正定聚の位にはいり、弥勒菩薩と同じく、無上のさとりをうることを示す。

【語　釈】①定聚……正定聚のこと。往生が正しく定まった分斉に入ること、すなわち阿弥陀仏の救済を信じ、命が終れば必ず浄土に往生して、仏になることに定まった人のこと。②補処……一生補処のことで、一生を過ぎれば仏処を補う、すなわち等覚の位にいたる菩薩のことである。菩薩には、十信・十住・十行・十廻向・十地・等覚という五十一段の階級があるが、その五十一段目の「等覚」の位の次は、仏すなわち妙覚の位であるから、一たびこの等覚の位を過ぎれば直ちに仏となることができる。そこで、等覚の菩薩を一生補処の菩薩という。③無上覚……無上菩提と同じ、菩提は正覚とも訳され、一切の智慧を窮めた仏果をいう。

【要　義】

この一連の和讃は、信心の勝れている功徳について述べられる。先には信心の内容をあげられたから、以下はその利益を示されている。

信心には現当の二益がある。現益とは現世においてうる益で、正定聚に定まるをいい、当益とは当来の浄土において滅度を証すること、すなわち、未来において必ず成仏することである。われわれは真実の行信を獲得すると直ちに、現当二世の利益をいただく、これが真宗教義の特色である。

信心は、願力廻向の名号を領受することで、その功徳もまた無量である。『本典』の「信巻」には、現益を「現生十種の益」にまとめられてある。すなわち、

一者冥衆護持益、二者至徳具足益、三者転悪成善益、四者諸仏護念益、五者諸仏称讃益、六者心光常護益、七者心多歓喜益、八者知恩報徳益、九者常行大悲益、十者入正定聚益也。（真聖全・二・七二）

と、信心の利益についてたたえられてあるが、これをつきつめていえば、信心は内に満たされたものであり、外から護られているいのちである。

十という満数をもって、この「現生十益」は示されているが、これは無量の徳という意味であり、その総益は、最後の「入正定聚の益」である。そこで、いま「正定聚

にいたる」とも、「等正覚にいたる」とも、またさらに「補処の弥勒に同じ」とも、たたえられているのである。

このように、信心の勝れた利益を【二三】首では「直入報土の益」、【二四】首では「成等正覚の益」、【二五】首では「摂取不捨の益」、【二六】・【二七】・【二八】の三首では「便同弥勒の益」として、具体的に示された。

これは先に引いた『本典』「信巻」の文にも、「真に知りぬ、弥勒大士は等覚の金剛心を窮むるが故に、龍華三会の暁、まさに無上覚位を極むべし。念仏の衆生は、横超の金剛心を窮むるが故に、臨終一念の夕べ、大般涅槃を超証す。故に便同というなり」（原漢文）とあり、便同弥勒の信念にもとづいて讃嘆せられたものである。

かくしてわれわれは、如来廻向の清浄真実の「他力信心」を獲得する時、「正定聚の位」に住し、また「等正覚の位」ともなるから「一生補処の位」となり、「弥勒菩薩と同じく」ありて、この上もない仏のさとりを開くことができるのである。

いま【二六】首の意や、『浄土和讃』で「如来とひとし」とも示されている文意等よりすれば、実は弥勒菩薩に先立って仏果を超証する歓喜と光栄を与えられ、いつ命が終っても、このまま大涅槃をさとらせていただけるのである。

(五) 念仏門への勧め

【本文】【二九】

像法のときの智人も　自力の諸教をさしおきて

時機相應の法なれば　念佛門にぞいりたまふ

【讃意】　像法の時代の先賢を例に引いて、念仏門に帰依することを勧める。

【語釈】　①像法のときの智人……像法の時代に現われた、智慧や徳がすぐれ多くの人びとにあがめられた人。すなわち自力聖道門を捨てて本願を信じ、浄土・念仏門に帰入された人びと。ここでは、龍樹菩薩や天親菩薩をさす。②さしおきて……なげうって、捨てて。③時機相応……時代と機根(人)とがふさわしいこと。④念仏門にぞいりたまふ……念仏は浄土に通じ入る門戸であるから、念仏門という。像法時代の菩薩方でさえ、自力の諸教を捨てて念仏門に帰入されたのであるから、ましてわれわれ末法濁世の者は、なおさらのことである。

【出拠】　この一首にあてはまる文はない。

【本文】【三〇】

彌陀の尊號となへつゝ　信樂まことにうるひとは

憶念の心つねにして　佛恩報ずるおもひあり

【讃　意】報恩謝徳の意味より、ただ念仏一行を勧める。

【語　釈】①尊号……尊い名号、南無阿弥陀仏の六字のこと。②信楽……四十頁参照。③憶念の心つねにして……領受した信心が絶えないで、いつまでも続くこと。

【出　拠】『大経』下巻（真聖全・一・二四）の文

聞其名号、信心歓喜、乃至一念。

及び、『往生礼讃』（真聖全・一・六五一）の文

然弥陀世尊、本発深重誓願、以光明・名号摂化十方。但使信心求念、上尽一形下至十声・一声等、以仏願力易得往生。

なお、『浄土和讃』冠頭の第一首（真聖全・二・四八五）にも、同意の和讃が出されてある。

【本　文】【三一】

①五濁悪世の②有情の　③選択本願信ずれば

④不可称不可説不可思議の　功徳は⑤行者の身にみてり

【讃　意】濁世における念仏の利益をあげて、本願を信ずるよう勧める。

【語　釈】①五濁……一七頁参照。②有情……衆生のこと。③選択本願……選択の本願、すなわ

ち第十八願のこと。④不可称不可説不可思議……はかることも、説くことも、心でおもうこともできないこと。⑤行者……信者、念仏の行者のこと。

【出拠】 『大経』下巻（真聖全・一・四六）の文

仏語弥勒。其有得聞彼仏名号、歓喜踊躍、乃至一念。当知、此人為得大利。則是具足無上功徳。

及び、『浄土論』（真聖全・一・二七〇）の文

観仏本願力　遇無空過者
能令速満足　功徳大宝海

なお、『高僧和讃』の結讃【一一八】首（真聖全・二・五一五）にも、同意の和讃が出されてある。

【要義】 上来、信心の内容と勝徳、成仏の証果について述べられたので、ここでは信心を勧められるのである。

釈尊入滅より、それほど時代を隔てていない像法の時代に出られ、智徳すぐれた龍樹・天親両菩薩のような方でさえも、自力の諸教を捨てて念仏の一門に帰入せられたのである。これは念仏の一門が、時代といい、根機といい、相応しいからである。

すなわち龍樹菩薩は、『十住毘婆沙論』の「易行品」に難易二道をわけて、

願我於仏所　心常得清浄　（真聖全・一・二六一）

とあり、阿弥陀仏に帰して往生極楽を願求せられ、また天親菩薩は、『浄土論』の「願生偈」の冒頭に、

世尊我一心　帰命尽十方

無导光如来　願生安楽国　（真聖全・一・二六九）

と示されている。

このように、像法の時代の智人でさえ念仏の一門に帰入せられたのに、五濁末世の凡愚のわれらが、どうして自力を捨て念仏門に帰さないでよかろうか、早く帰さなくてはならない、と念仏の信心を勧められる。

また、このようにして念仏門に帰入し、阿弥陀仏の尊いお慈悲による真実の信心を得たからには、常に仏恩の広大なることを思い、報謝の念をもって称名しなければならないことを教える。

さらに、たとえ五濁悪世の衆生であっても、阿弥陀仏の選択本願である第十八願を信じたならば、その時直ちに不可称不可説不可思議の大善大功徳が、自然に念仏の行

者に一点の欠けるところもなく満ちてしまうのである。

(六)　ご化導の流れ

【本　文】【三二】

无㝵光佛①のみこと②には　未來の有情利せんとて
大勢至菩薩③に　智慧の念佛④さづけしむ⑤

【讃　意】仏の出世の本懐は末代濁世の衆生を救わんがためであるが、まず阿弥陀如来が、勢至菩薩に念仏を付属されたことを明かす。

【語　釈】①無㝵光仏……阿弥陀仏のわれわれに対するはたらきをあらわす十二光仏の一つで、阿弥陀仏の光明をいう。すなわち阿弥陀仏をさす。②みこと……ことばをもって教え命令することで、おおせごと・みことばの意。③大勢至菩薩……阿弥陀仏の右の脇士であって、智慧を表象する菩薩。④智慧の念仏……智慧とは仏智を体とする信心のことで、すなわち信心より生ずる念仏、「他力の念仏」のことである。⑤さづけしむ……阿弥陀如来が勢至菩薩に念仏を付属されること。

【出　拠】【三二】・【三三】二首ともに、『大仏頂如来密因修証了義諸菩薩万行首楞厳経』巻五（大正・十九・一二八上～中）の文に、

大勢至法王子。与二其同倫五十二菩薩一即従レ座起。頂二礼仏足一而白レ仏言。我憶二

往昔恒河沙劫。有仏出世名無量光。十二如来相継一劫。其最後仏名超日月光。彼仏教我念仏三昧。……（中略）……我本因地以念仏心入無生忍。今於此界摂念仏人帰於浄土。

とあるもので、勢至菩薩が念仏円通の承伝者であることを示されたものである。

この文意によって、『浄土和讃』の末尾に『高僧和讃』の序曲として、

『首楞厳経』によりて大勢至菩薩和讃したてまつる　八首

（真聖全・二・四九九）

とあり、その第一首に、

勢至念佛圓通して　五十二菩薩もろともに

すなはち座よりたゝしめて　佛足頂禮せしめつゝ

とうたわれ、以下七首の和讃を添えて、最後に、

已上大勢至菩薩　源空聖人御本地也　（真聖全・二・五〇〇）

とある。阿弥陀如来が勢至菩薩に念仏を付属された御意を讃嘆された第一首から第四首まで、及び、第七首や第八首と対照して考察すべきである。

【本　文】【三三】

濁世の有情をあはれみて　勢至念佛すゝめしむ
信心のひとを攝取して　淨土に歸入せしめけり

【讃　意】勢至菩薩が五濁悪世の衆生に念仏を教え弘めて、衆生を化益されることを明かす。

【語　釈】①濁世……五濁悪世のこと。②摂取……衆生をおさめ、導くこと。

【要　義】親鸞聖人が勢至菩薩を崇敬せられたのは、源空（法然）聖人のご本地としてである。そして『首楞厳経』の円通章により、勢至菩薩の念仏円通を承伝されたのが、源空聖人の専修念仏であることを示された。

また源空聖人が勢至菩薩の化身であるという崇敬は、源空聖人在世の時代からあった。そのことを示す文献は多くあるが、いまここに二、三例示しておく。

『西方指南抄』の中の「源空上人私日記」には、

月輪の禅定殿下兼実（御法名円照）帰依甚深なり。或る日、聖人月輪殿に参上、退出の時、地より上高く蓮華を踏みて歩みたまふ。頭光赫奕たり。おほよそは勢至菩薩の化身なりと。（原漢文）（真聖全・四・一六二）

とある。また、聖覚法印の著と伝えられる『十六門記』第十二「頭光顕本地門」（『浄土宗全書』第十七巻・一四頁）には、上人月輪殿にして念仏讃嘆の後、退出し給ふ時、禅定殿下庭上に走り降りて、五体を地に投じて上人を礼拝し、良久ありて起させ給ひて、上人の頭の上に金光顕現して光映徹し、中に一つの宝瓶ありつると仰せられて御涙にむせびたまふ。

とある。肉髻の上に宝瓶のあるのは勢至菩薩の特徴であるから、源空聖人の頂上にある宝缾は、勢至菩薩の化身であることを象徴したものであると伝える。これらの伝説がやがて芸術化し、源空聖人の影像が「顕光踏蓮の像」となり、「宝缾の像」をもって聖人が描写されるようになった。

次に『恵信尼文書』の第五通に、

上人をば、しょ〱(所々)に、勢至菩薩の化身と、夢にも見まいらする事、数多ありと申うへ、勢至菩薩は、智慧のかぎりにて、しかしながら、光にてわたらせ給と候しか……。（真聖全・五・一〇六）

と述べられている。

これをみれば、源空聖人が勢至菩薩の化身であるという意識は、親鸞聖人によって、より一層明白に顕わされるようになったと思われる。

三、真実信心のはたらき

㈠ 二尊一致の摂化

【本文】【三四】

釋迦①・彌陀の慈悲よりぞ　願②作佛心はえしめたる

信心③の智慧にいりてこそ　佛恩報ずる身④とはなれ

【讃意】釈迦・弥陀二尊の慈悲により、信心をえた人はおのずから仏恩報謝の念仏と、その行ないがあることを明かす。

【語釈】①釈迦・弥陀の慈悲よりぞ……善導大師が『観経疏』「散善義」に二河白道の譬えをもって示される。釈迦は此岸より行者に「往け」と発遣せられ、弥陀は彼岸より行者に「来れ」と招喚したもうところの、慈父なる釈迦の「おすすめ」と悲母なる弥陀の「呼び声」とをさす。②願作仏心……大菩提心のこと。ここでは信心のかえ名、他力の信心をさす（なお、【二〇】の註②を参照）。③信心の智慧……仏智を得た信心、すなわち他力の信心を得たこと。④身とはなれ……身となるということ。

【出拠】『観経疏』「散善義」（真聖全・一・五四一）の文

仰イデ蒙リ三釈迦発遣シテヲシヘテ指ヘタマフコトヲ向ニ二西方一、又藉リテ二弥陀悲心招喚シタマフニ一、今信ニ順シテ二尊之意ニ一、不レ顧ニ水火二河一、念念無レ遺、乗ニ彼願力之道一、捨命已後、得レ生ニ彼国一、与レ仏相見慶喜何極也。

及び、『般舟讃』（真聖全・一・六八五）の文

釈迦如来実是慈悲父母。種種方便、発ニ起我等無上信心一。

【要義】 釈迦・弥陀二尊の仰せに随順して、浄土の菩提が樹立せられたことを示されたのである。このようにして信心の智慧をえたからには、仏恩を報謝せずにはいられない我が身となるであろう。

このように二尊一致の摂化を述べられ、釈尊は此岸にあって「往け」と送り遣わし、阿弥陀仏は彼岸にあって「来れ」と喚び、二尊のめぐみによって他力の信心をえさせていただき、称名報恩・念仏相続の上から、報謝の生活をさせていただく身となったことを讃嘆されている。

㈡ 本願名号の独用

(1) 信心の智慧

【本　文】【三五】

智慧の念佛うることは　㊀法藏願力のなせるなり
信心の智慧なかりせば　いかでか涅槃をさとらまし

【讃意】法蔵菩薩の願力によって、ただ信心のみで大涅槃をさとることを明かす。

【語釈】①法蔵願力……阿弥陀仏の因位である法蔵菩薩の本願の力用（はたらき）から、でき上がっているということ。

【出拠】『讃阿弥陀仏偈』（真聖全・一・三五七）の文

皆是法蔵願力ノ為セルナリ　稽ニ首シ頂ニ礼シタテマツル大心力ヲ

及び、『選択集』上巻（真聖全・一・九六七）の文

当レ知ル、生死之家ニハ以レ疑ヲテ為ニ所止ト、涅槃之城ニハ以レ信ヲテ為ニ能入ト。

【本文】【三六】

①无明長夜（むみやうぢやうや）の②燈炬（とうこ）なり　③智眼（ちげん）くらしとかなしむな

（左訓：ツネノトモシビヲミダノホングワンニタトヘマフスナリツネノトモシビヲトウトイフオホキナルトモシビヲコトイフ）

生死大海（しやうじだいかい）の④船筏（せんばち）なり　罪障（ざいしやう）おもしとなげかざれ

（左訓：フネイカダ）

【讃意】阿弥陀仏の本願は長夜を照らす灯であり、大海を渡す大きな船であり筏（いかだ）である、と喩えをもって示し、罪障がいかに重くとも歎く必要のないことを明かす。

【語釈】①無明長夜……われわれの煩悩がくらく、その迷いが深く長いこと。②灯炬……ともしび・たいまつのことで、ここでは弥陀の本願を喩えたことば。（左訓参照）③智眼

……真理を見る智慧の眼のこと。④船筏……筏はイカダのこと。生死の迷いを海に喩えてあるので、本願を船や筏に喩えたのである。

【出拠】『大唐西域記』巻六（大正・五一・九〇四上）の「生死大海、誰作舟檝、無明長夜、誰為灯炬」という文によって『聖覚法印表白』（真聖全・五・九二）の「誠知、無明長夜之大灯炬也、何悲智眼闇。生死大海之大船筏也、豈煩業鄣重。」とある文が作られたが、これを親鸞聖人は、『尊号真像銘文』（真聖全・二・五七四、五九七）に引用されている。

【本文】【三七】
願力無窮にましませば
罪業深重もおもからず
佛智無邊にましませば
散乱放逸もすてられず

【讃意】阿弥陀仏の本願力はきわまりないものであるから、どんなに罪業が重く、散乱心や放逸心をもっている者でも、必ず救うということを明かす。

【語釈】①無窮……きわまりのないこと。②無辺……広大であること。③散乱放逸……心が絶えず散り乱れ、悪心を防ぐことができず、欲しいままでしまりがないこと。

【出拠】聖覚法師の『唯信抄』（真聖全・二・七五〇）の文

仏力無窮なり、罪障深重のみをおもしとせず。仏智無辺なり、散乱放逸のものおもすつることなし。たゞ信心を要とす、そのほかおばかへりみざるなり。

【要義】【三五】・【三六】・【三七】の三首は、衆生の罪業の深重なること、散乱放逸なる凡夫の迷情を述べて、これを救わんとの法蔵菩薩の大願なることを示される。いかに千年の永き闇なるも、弥陀の智慧の光によってたちまちに破られ、生死の大海を安全に導く大願の船にまかせて、涅槃の岸にいたることのできる信心の智慧を述讃されている。

(2) 大悲心の成就

【本文】【三八】

①如來の作願をたづぬれば　苦悩の有情をすてずして
②廻向を首としたまひて　③大悲心をば成就せり

【讃意】弥陀本願の本意は、苦悩の衆生を救うためであることを明かす。

【語釈】①如来の作願……阿弥陀如来の発願、すなわち衆生を救いたいという本願を建てられたこと。②廻向を首としたまひて……あらゆる善根功徳（念仏＝信心）を一切衆生に廻向し、施し与えることを第一とすること。③大悲心……衆生を救う大悲のこころ、すなわち南無阿弥陀仏の名号のこと。

【出拠】『往生論註』下巻（真聖全・一・三一六）の文

云何廻向、不㆑捨㆓一切苦悩衆生㆒、心常作願、廻向為㆑首得㆔成㆓就大悲心㆒故。

及び、参考にされたと思われる『聖覚法印表白』の文（【三六】首出拠の続き）に、

倩思㆓教授恩徳㆒、実等㆓弥陀悲願㆒者歟。粉㆑骨可㆑報㆑之、摧㆑身可㆑謝㆑之。

とあり、同じくこれは『尊号真像銘文』（真聖全・二・五七四）にも引用されている。

【本文】【三九】

①眞實信心の稱名は　彌陀廻向の法なれば
②不廻向となづけてぞ　③自力の稱念きらはるゝ

【讃意】 真実信心をえたうえでの称名は、すべて他力廻向のものであって自力ではなく、不廻向なりと名づけられる理由を説き、自力廻向の念仏を誡める。

【語釈】 ①真実信心の称名……まことの他力信心のうえに称える称名。②不廻向……衆生の方から仏に廻向しないことをいう。弥陀より授けられる法であるから不廻向という。③自力の称念……念仏を称え、その功を廻向して往生しようと願う自力念仏のこと。

【出拠】 【三八】首出拠の『往生論註』下巻（真聖全・一・三一六）の文

及び、『選択集』上巻（真聖全・一・九三七）の文

第四不回向回向対者、修㆓正助二行㆒者、縦令別不㆑用㆓回向㆒、自然成㆓往生業㆒。

【本　文】　【四〇】

彌陀智願の廣海に　凡夫善惡の心水も（ボムブノゼンノコヽロアクノ心ヲミヅニタトヘタルナリ）

歸入しぬればすなはちに　大悲心とぞ轉ずなる（アクノ心ゼントナルヲテンズルナリトイフナリ）

【讃　意】　仏の願力に帰依すれば、どんな川の水も海に入って同じ味の塩水になるように、衆生の善悪差別の心も、如来の広大なる名号の働きによって仏心となることを示す。如来の廻向を具体的な喩えで明かす。

【語　釈】　①弥陀智願の広海……阿弥陀如来の本願の深広なることを、海に喩えてある。②凡夫善悪の心水……衆生の善悪の心を水に喩えたもの。善とは雑修雑善の自力の心、悪とは五逆・謗法などをいう（左訓参照）。③帰入……帰依信入の意。自力の心を捨て離れて、如来の本願力に乗りまかせること。④すなはちに……直ちに。⑤大悲心とぞ転ずなる……凡夫の二つの心が、仏の慈悲心と転じかわることをいう。

【出　拠】　『往生論註』下巻（真聖全・一・三二五～六）の文

願二往生一者、本則三三之品、今無二一二之殊一、亦如二淄澠（食陵反）一味一、焉可二思議一。

【要　義】　この三首の和讃は、本願力から廻向された名号の独用によって、凡夫の善悪の心が転じて仏の大悲心と一味になることを讃じ、それは決してわれらが自力の計らいによるものではなく、まったく他力のご廻向によるものである道理を示されている。

三　釈尊の慈誡

【本文】【四一】

造悪このむわが弟子の　邪見放逸さかりにて
末世にわが法破すべしと　『蓮華面經』にときたまふ

【讃意】『蓮華面経』の経説によって、末世の破法を誡め、釈尊の慈愛にみちた訓誡を明かす。

【語釈】①邪見放逸……よこしまな見解や心にしまりのないこと。②わが法……釈迦の教えのこと。③『蓮華面経』……隋の開皇四年（五八四）に那連提黎耶舎の翻訳した経典で、上下二巻に分かれており、釈尊が入滅される三カ月前に、ビシャリ城からハバ城に行かれる途中のバッダイ河で沐浴された時、阿難尊者に説かれた説法。

【出拠】『蓮華面経』巻上（大正・十二・一〇七二中～一〇七三上）の文

仏告阿難、諦聴至心、我今当説、阿難、未来之時、有諸破戒比丘、（中略）復有比丘多受檀越四事供養、内無実徳、唯増貪心、但為活命、不為修道、（中略）復有比丘毀壊仏塔、取其宝物、以自活命。如是無量地獄因縁、捨命之後、皆堕地獄、阿難、譬如師子命絶身死、若空若地若水若陸、所有衆生不三敢食二彼師子身肉一、唯師子身自生二諸虫一、還自噉二食師子之肉一。阿難、我之仏法、非二余能壊一、是我法中、諸悪比丘、猶如二毒刺一、破二我三阿僧祇劫、積レ行勤苦、所レ集仏法一、阿難、譬如下有レ人入二於大海一、至二宝渚中一、多取二宝物一、置二於船上一、欲レ度二大海一於レ中沈没上、仏之正法、如二彼宝船一、当来破戒諸悪比丘、多楽造二作種々悪業一、滅二我仏法一、沈没不レ現、阿難、如来涅槃不レ久之間、正法当レ乱。

【本　文】【四二】

念佛誹謗の有情は　阿鼻地獄に堕在して
八万劫中大苦悩　ひまなくうくとぞときたまふ

【讃　意】　末世の衆生が念仏を誹謗することを恐れてその罪の重いことを示し、念仏誹謗を誡める、父のごとき釈尊の慈誡を明かす。

【語　釈】　①誹謗……そしること。②阿鼻地獄……阿鼻は阿鼻旨ともいい、梵語 Avici の音写で、無間と訳す。八地獄中の最も恐ろしい地獄で、苦を受けること間なきが故に無間という。

【要　義】　この二首は、『蓮華面経』や『観仏三昧経』によって釈尊の慈誡を述べたものである。その背景として想起せられるのは、親鸞聖人が八十四歳という老境に入ってから、信頼していたわが子善鸞に背かれた、いわゆる善鸞義絶という内部的邪見にあわれた受難と、外部的誹謗である日蓮が「念仏無間」ときめつけた四箇格言による謗難であろう。このように、「内憂外患交々来れり」という聖人晩年の最も大きい嘆きがひしひしと感ぜられる。

この【四一】・【四二】の二首の和讃は、『歎異抄』第二条の「おの〳〵十余ケ国のさかひをこえて、身命をかへりみずして……面々の御はからひなりと云云」（真聖全・二・七七三～七七五）の文や、建長八年（一二五六）五月二十九日の、慈信房善鸞義絶のご消息「慈信房のほふもんのやう、みやうもくをだにもきかず……今は父子のぎはあるべからずさふらう」（真聖全・二・七二七）の文や、関東の僧俗が動乱してきた時のご消息「仏法をばやぶるひとなし……御ふみにはまふしつくすべくもさふらはず」（真聖全・二・七〇五）の文などを通して考察すれば、一層よく理解できるであろう。

㈣　現当の二益

【本　文】　【四三】

眞實報土(しんじちほうど)[1]の正因(しやういん)[2]を　二尊(にそん)[3]のみことにたまはりて
正定聚(しやうぢやうじゆ)に住(ぢゆ)すれば　かならず滅度(めちど)[4]をさとるなり

【讃　意】　釈迦・弥陀二尊の勧めによって、往生の正因をうるよろこびを明かす。

【語　釈】　①真実報土……自力の人びとが往生する方便化土に対して、第十八願の救いにあずかるものが往生する弥陀の浄土をいう。②正因……正当なる因、すなわち他力信心のこと。③二尊のみこと……弥陀・釈迦の仰せ。すなわち釈迦は此岸より往けと遣し（発遣）、弥陀は彼岸より来れと喚びたもう（招喚）の勅命をいう。④滅度……大般涅槃。

【出　拠】　前出の和讃【三四】に引いた『観経疏』「散善義」（真聖全・一・五四一）の文に同じ。

【要　義】　釈尊は此岸にあって「往け」とおくり遣わし、阿弥陀仏は彼岸にあって「来れ」と喚びたもう。この二尊によって、いま幸いにわれらは真実報土に往生すべき正しい因をいただき、現世にあって正定聚の位に住し、未来には間違いなく大涅槃をさとらせていただくのである。このように釈迦・弥陀二尊の大恩広徳は、はかり知れないものがある。

(五)　諸仏の証誠

【本　文】　【四四】

十方无量の諸佛の　證誠護念のみことにて
自力の大菩提心の　かなはぬほどはしりぬべし

【讃　意】　自力の菩提心をおこしても成仏はできない、と諸仏が証誠されていることを明かす。

【語釈】①十方無量の諸仏……東西南北・四維（しゆい）・上下の、十方の量り知れない多くの仏たちをいう。②証誠護念のみこと……証誠とは証明のこと、護念とは他力念仏者を護ること、みこととはおことばのこと。すなわち、他力念仏者（第十八願の行者）の往生が間違いないことを諸仏が証明される、という仰せである。③かなはぬほどはしりぬべし……自力の菩提心では、到底及ばぬということを知るべきである、という意。

【出拠】六方諸仏が念仏を証誠護念される『阿弥陀経』の証誠段（真聖全・一・七〇）の文、及び、善導大師の『往生礼讃偈』（真聖全・一・六八三）の文

証㆓誠セルガ此ノ事ヲ㆒故ニ、名ク㆓護念経ト㆒。次ノ下ノ文ニ云ク。若シ称シテ㆑仏ヲ往生スル者ハ、常ニ為ニ㆓六方恒河沙等ノ諸仏ノ之所ル㆓護念セ㆒、故ニ名ク㆓護念経ト㆒。

【本文】【四五】

眞實信心（しんじちしんじむ）うることは　末法濁世（まちぼふぢよくせ）にまれなりと
恒沙（ごうじや）①の諸佛（しよぶち）の證誠（しようじやう）に　ゑがたきほどをあらはせり

【讃意】末法濁世においては他力の信心をうるのがなかなか困難である、と諸仏が証誠されていることを明かす。

【語釈】①恒沙の諸仏……恒河（ガンジス川）の砂の数ほどおられる数多くの諸仏。

【出拠】『阿弥陀経』（真聖全・一・七一〜七二）の文

釈迦牟尼仏、能為甚難希有之事、能於娑婆国土五濁悪世、劫濁・見濁・煩悩濁・衆生濁・命濁中、得阿耨多羅三藐三菩提、為諸衆生、説是一切世間難信之法。

及び、『称讃浄土経』（真聖全・一・二五〇）の文

又舎利子、於此雑染堪忍世界五濁悪時、若有浄信諸善男子或善女人、聞説如是一切世間極難信法、能生信解、受持演説、如教修行、当知、是人甚為希有。

【要義】【四四】・【四五】の二首は、諸仏の証誠、すなわち弥陀・釈迦・諸仏の本意が一致して、他力の念仏による成仏の道を勧め、証明するものであることを明かす。そのなかで、まず【四四】首は自力の菩提心では成仏できないことを述べて、そのことを諸仏が証誠されていることを説く。次の【四五】首では浄土の菩提心、すなわち他力信心は簡単にうることができるかといえば、この他力信心も末法五濁の世においては誠に得難いものである、と同じく諸仏が証誠されていることを顕わす。

これによればわれわれ凡夫が、菩提心すなわち大信心を得ることは実に得難いものであることが知らされる。

四、如来大悲の恩徳

(一) 往相・還相の廻向

(1) 廻向に遇うたよろこび

【本文】【四六】

①往相(わうさう)・還(ぐゑんさう)相の廻向(ゑかう)に　②まうあはぬ身(み)となりにせば

③流転輪廻(るてんりんゑ)もきはもなし　苦海(くかい)の④沈淪(ちんりん)いかゞせん

【讃意】往相・還相の二種の廻向に、遇えたことのよろこびを述べる。

【語釈】①往相・還相の廻向……往相とは往生の相状。われわれが信心を得て浄土に往生するまでの相(すがた)を往相という。還相とは還来する相状。われわれが一たび浄土へ往生した後、さらにこの世に還って一切衆生を済度することを還相という。②まうあはぬ……遇わぬということの敬語。信ぜぬことをいう。③流転輪廻……生死を循環して絶え間のない有様で、水の流れがやむことなく、廻る車の終りのないことに喩えていう。④沈淪……深く沈没すること。二字とも、しずむの意である。

【出　拠】この一首にあてはまる文はない。

【要　義】われわれは、往相・還相の二種の廻向に遇うことができなかったならば、永遠に流転輪廻を限りなく続けなければならなかったであろう、もし、この他力の廻向に救われなかったならば、苦しい迷いの苦海に沈んでしまっているものをと、この二種の廻向に遇うたよろこびを深く讃嘆せられているのである。

(2) 仏智不思議の廻向

【本　文】【四七】

佛智不思議を信ずれば　正定聚にこそ住しけれ
①化生のひとは智慧すぐれ　②无上覺をぞさとりける

【讃　意】信心の大益を示し、その利益を顕わす。

【語　釈】①化生……胎生・卵生・湿生・化生という四生の一で、ここでは不了仏智の者が化土に胎生するのに対し、仏智の不思議を信じて真実報土に往生し、仏をみることができるということをさす。②無上覚……このうえなき覚り。仏のさとりのことをいう。

【出　拠】『大経』下巻（真聖全・一・四三〜四四）の文

若有衆生、明信仏智乃至勝智、作諸功徳、信心廻向、此諸衆生、於七宝華中、自然化生、跏趺而坐、須臾之頃、身相光明・智慧功徳、如諸菩薩、具足成就。
復次慈氏、佗方仏国諸大菩薩、発心欲見無量寿仏、恭敬供養、及諸菩薩・声聞之衆。彼菩薩等、命終得生無量寿国、於七宝華中、自然化生。
弥勒当知、彼化生者、智慧勝故。其胎生者、皆無智慧。

【本　文】【四八】

不思議の佛智を信ずるを　報土の因としたまへり
信心の正因うることは　かたきがなかになをかたし

【讃　意】報土の正因である信心の、得難いことを示す。

【語　釈】①報土……阿弥陀仏の本願に報いてできた国土をいう。ここでは、方便化土に対し真実報土をさす。②信心の正因……報土往生の正因である信心。

【出　拠】【四七】首の出拠の文、及び『大経』下巻（真聖全・一・四六）の文

仏語弥勒。如来興世、難値難見。諸仏経道、難得難聞。菩薩勝法、諸波羅蜜、得聞亦難。遇善知識、聞法能行、此亦為難。若聞斯経、信楽受持、難中之難、無過此難。

【本　文】【四九】

无始流轉の苦をすてゝ　无上涅槃を期すること
如來二種の廻向の　恩徳まことに謝しがたし

【讃　意】この得難い信心を得たことは、ただ如来の廻向によることを明かし、その恩徳は広大で限りがないと説く。

【語　釈】①無始流転の苦……いつから始まったかわからない、久遠の昔から六道を流転し続けてきた苦しみの果報。②無上涅槃を期すること……無上覚、すなわち仏果をまつこと。

【出　拠】『大経』下巻（真聖全・一・三四）の文
　永劫已来、展転五道、憂畏勤苦、不可具言。

【本　文】【五〇】

報土の信者はおほからず　化土の行者はかずおほし
自力の菩提かなはねば　久遠劫より流轉せり

【讃　意】報土の正因（信心）の得難いのは、自力の心が残存するためであると述べ、その理由を示す。

【語　釈】①報土の信者……阿弥陀仏の本願によって報いあらわされた真実の極楽浄土に生れる

正定聚の機、純他力信心の行者のこと。②化土の行者……阿弥陀如来が仮にもうけられた方便の浄土、すなわち他力の仏智を信ずることのできない第十九願諸行往生の機（邪定聚）、第二十願の自力念仏で往生する化身の浄土に往生する行者（不定聚）のこと。③久遠劫……久しく遠い時間のこと。

【出拠】『往生要集』下巻末（真聖全・一・八九八）にある懐感禅師の『群疑論』の引文「又報浄土生者極少、化浄土中生者不少」により前の二句をつくり、後の二句は、『安楽集』下巻（真聖全・一・四二一）の文「皆欲早証無上菩提者先須発菩提心為首。此心難識難起。（中略）当今凡夫現名信想軽毛、亦曰仮名、亦名不定聚、亦名外凡夫。未出火宅」によってつくられている。

【要義】【四七】首では、仏智の不思議を信ずる者は現世において正定聚不退の位に住し、未来において仏果を証することは間違いないという、信心の勝益を述べられている。【四八】首では、信心の得難いことを示し、【四九】首では、この得難い信心が、如来の二種の廻向により得られることを示し、その恩徳の広大さは感謝しつくせないものがあると述べられる。また、【五〇】首では、報土の大果をさとることのできる真実信心の行者は稀であると説き、信心が得難いのは自力の心が残存するからであると誡められている。

このように、これら四首では、如来の二種の廻向によって涅槃の大果をさとることができる、ということを示されているのである。

(3) 二廻向の大慈悲

【本文】【五一】

①南无阿彌陀佛の廻向の　恩徳廣大不思議にて
②往相廻向の利益には　③還相廻向に廻入せり

【本文】【五二】

往相廻向の④大慈より　還相廻向の⑤大悲をう
如來の廻向なかりせば　⑥浄土の菩提はいかゞせん

【讃意】【五一】・【五二】の二首は、如来の恩徳の広大なことを明かし、如来の二種の廻向によって二利成就しさとり得ることを示す。

【語釈】①南無阿弥陀仏の廻向……南無阿弥陀仏の六字に、往相・還相の大利益をおさめて、一切衆生に廻向してくださることをいう。②往相廻向の利益……信心の正因をえて浄土に往生し、涅槃をさとらせていただくという利益。③還相廻向に廻入……真実報土に往生すると、自然に還相廻向のはたらきを起すことができることをいう。④大慈……衆生の苦しみをぬくこと（抜苦）を慈といい、往相にあてる。⑤大悲……衆生に楽しみをあたえること（与楽）を悲といい、還相にあてる。⑥浄土の菩提……浄土に往生して、二利の成就した菩提をさとること。

【出拠】【五一】・【五二】の二首とも、前出の【三八】・【三九】の二首（五七・五八頁参照）と同じく、『論註』下巻（真聖全・一・三一六〜三一七）の一連の文による。

云何廻向、不捨一切苦悩衆生、心常作願、廻向為首得成就大悲心故。廻向有二種相。一者往相、二者還相。往相者、以己功徳廻施一切衆生、作願共往生彼阿弥陀如来安楽浄土。還相者、生彼土已、得奢摩他毘婆舎那方便力成就、廻入生死稠林、教化一切衆生、共向仏道。

なお、『高僧和讃』（曇鸞讃）の第三十四首・第三十五首・第三十六首（真聖全・二・五〇五）を参照。

【要義】南無阿弥陀仏の廻向は、その恩徳がはなはだ広大であり、その名号の中に、往相と還相の力用を摂めて廻向して下さるので、衆生が名号を聞信する一念の時に二益を得る。彼土に往生して成仏すると同時に、此土に還りて利他の行をする力用を得させていただく。その恩徳広大なることは、ただ不思議と仰ぐ外はないのである。

往相と還相、すなわち大慈（抜苦）と大悲（与楽）の関係は、他人の苦しみを自分の苦しみと受けとる身になるということで、それは如来様のおかげによって自分がみたされていることを知るからである。聖人は、このように浄土の菩提の尊さを讃示されているのである。

(二) 仏祖教化の恩徳

(1) 三尊の化益

【本　文】【五三】

彌陀(みだ)・観音(くわんおむ)①・大勢至(だいせいし)　大願(だいぐわん)のふねに乗(じよう)じてぞ
生死(しやうじ)のうみにうかみつゝ　有情(うじやう)をよばふ②てのせたまふ

【讃　意】阿弥陀如来・観世音菩薩・大勢至菩薩の三尊が、願船（第十八願の船）に乗られて苦海にさまよう衆生を呼びたもう、その恩徳広大な呼びかけを讃嘆する。

【語　釈】①観音・大勢至……阿弥陀如来の左右に坐す脇士で、左に坐す観音菩薩は慈悲を、右の勢至菩薩は智慧をあらわす。二尊は本師阿弥陀仏をたすけ、一切衆生を救済されるのである。②よばふ……呼びまねくこと、すなわち「汝、一心正念にして直ちに来れ」と招喚する如来の御声。

【出　拠】『往生要集』中巻本（真聖全・一・八一八）の文
『無量清浄覚経』ニ（迦才浄土論巻下所引）云ク。「阿弥陀仏与ニ観世音・大勢至一ト、乗ジテニ大願ノ船ニ一、汎ビ二生死ノ海ニ一、就テ二此ノ娑婆世界ニ一、呼二喚シテ衆生ヲ一令メレ上ラ二大願ノ船ニ一、送リ二著ケタマフ西方ニ一。

これは『平等覚経』から取意され、また迦才の『浄土論』下巻から引かれたものである。

【本　文】【五四】

彌陀大悲の誓願①を　ふかく②信ぜんひとはみな
ねてもさめてもへだてなく　南无阿彌陀佛をとなふべし

【讃　意】如来の呼び声によって、いよいよその恩徳の広大なることを知り、寝ても覚めてもへだてなく報謝の念仏をなすべきである、と勧める。

【語　釈】①誓願……如来の本願力、南無阿弥陀仏の六字の救いをいう。②ふかく信ぜんひと……その本願力の救いを深く信ずる人、すなわち他力の信に生きる人をいう。

【出　拠】『観経疏』「散善義」（真聖全・一・五三八）の文

一心ニ専二念シテ弥陀ノ名号ヲ一、行住坐臥、不レ問ハ二時節ノ久近ヲ一、念念ニ不レ捨テ者、是ヲ名ク二正定之業ト一。

及び『往生要集』中巻本（真聖全・一・八〇九）の文

念念ニ相続シテ、寤寐ニ莫レ忘ルルコト。

【本　文】【五五】

聖道門のひとはみな　自力の心をむねとして
他力不思議にいりぬれば　義なきを義とすと信知せり

【讃　意】たとえ聖道自力の人といえども、自力を捨て他力の教えに帰入するならば、本願他力の意趣を信ずる身になるということころを述べる。

【語　釈】①義なきを義とす……自分のはからいのないのがよいはからいであるという意。法然聖人が「念仏は義なきを義とす」（『拾遺古徳伝』）と説かれ、これをうけて親鸞聖人も『末灯鈔』に「佗力には義なきを義とすと、聖人のおほせごとにてありき」（真聖全・二・六五八）と説かれている。

【出　拠】出拠の文としては特にないが、法然上人の常々のお言葉などをとり合せて造られたものである。

【要　義】この三首では、弥陀・観音・勢至の三尊の化益を明らかにして、行者に信順を勧められている。この弥陀三尊の思想は、「三帖和讃」によって体系づけられている。すなわち『浄土和讃』は「弥陀讃」であり、『高僧和讃』は「勢至讃」であり、『正像末和讃』は「観音讃」である。弥陀仏は釈迦如来となり、七高僧となり、聖徳太子となってわれらを招喚したもうのである。これを図示すれば次のようになる。

釈迦╲╱往相―大慈（抜苦）…観音菩薩―聖徳皇太子
弥陀╱╲還相―大悲（与楽）…勢至菩薩―源空上人

すなわち、『御伝鈔』上巻・第三段（真聖全・三・六四一）に、

大師聖人すなはち勢至の化身、太子また観音の垂跡なり。このゆへに我二菩薩の引導に順じて、如来の本願をひろむるにあり。真宗これによりて興じ、念仏これによりてさかんなり。これ併（しかしなが）ら聖者の教誨によりて、更に愚昧の今案をかまへず。かの二大士の重願たゞ一仏名を専念するにたれり。

とあるように、親鸞聖人は法然聖人を勢至菩薩、聖徳太子を観音菩薩と仰ぎ、この二菩薩の引導に順じて本仏の本誓をきかれた。このことをもととして、聖人は和讃全体に弥陀三尊の思想を具体的に表現せられ、聖道門の学者・賢者でさえ自力を捨て他力に帰したのであるから、ましてわれらは一日も早く三尊の仰せにしたがい、他力の願船に乗托して、弥陀の大悲の誓願をふかく信順すべきであると教示されるのである。

(2)　善知識の哀愍

【本　文】　【五六】

釋迦（しやか）[①]の教法（けうぼふ）ましませど　修（しゆ）すべき有情（うじやう）のなきゆへに
さとりうるもの末法（まちぼふ）に　一人（ゐちにん）もあらじとときたまふ

【讃　意】末法の時代においては、聖道の教えはあるが、いまだ一人としてさとりを得るものはいないといって、聖道の教えが時代と根機にあわないことを示す。

【語　釈】①釈迦の教法……釈尊が説かれた聖道自力の教えのこと。

【出　拠】『安楽集』上巻（真聖全・一・四一〇）の文

『大集月蔵経』云。「我末法時中億億衆生、起行修道未有一人得者。」

【本　文】【五七】

三朝浄土の大師等①（さむてうじやうどのだいしとう）　哀愍攝受したまひて②（あいみんせふじゆ）

眞實信心すゝめしめ（しんじちしんじむ）　定聚のくらゐにいれしめよ（ちやうじゆ）

【讃　意】三国の七高僧方に恵みを乞い、そのご化導を示されている。

【語　釈】①三朝浄土の大師等……インド・中国・日本の三国に出られた、浄土真宗の七高僧のこと。②哀愍摂受……慈しみを垂れて、われわれを摂めとって救うこと。

【出　拠】特に出拠の文はないが、「正信偈」の最後の句「唯可信斯高僧説」と対照する。

【本　文】【五八】

他力の信心うるひとを（たりき）（しんじむ）　うやまひおほきによろこべば①

すなはちわが親友ぞと（しんう）　教主世尊はほめたまふ（けうしゆせそん）

【讃　意】仏意に随順して他力の信心を得る者の、よろこびと感謝を明かす。

【語　釈】①うやまひおほきによろこべば……本願の教法をうやまい、わが身のうれしさを大いによろこんだならば、の意。

【出　拠】『大経』下巻（真聖全・一・二七）の文

聞レ法能不レ忘　見敬得大慶　則我善親友

【五六】首は『安楽集』の文によっているが、また聖覚法印の『唯信抄』に、

まことに教の本意しるべけれども、末法にいたり濁世におよびぬれば、現身にさとりをうること億億の人の中に一人もありがたし。（真聖全・二・七三九）

とある文などにも強い示唆をうけて作られたものであろう。

【要　義】親鸞聖人は聖覚法印に私淑し、法兄として思慕された。それは「この世にとりてはよきひと〳〵」と仰ぎ、「法然聖人の御をしへをよく〳〵御こゝろえたるひと〳〵」（『末灯鈔』真聖全・二・六八六）の一人として敬われたほどである。また『唯信抄』を、他力本願を信ずる人が救われる唯信独達の聖教、唯信教義の証権として、念仏の宗旨を示すもっとも正しい尺度として敬重せられたのである。さらには、その註釈書『唯信鈔文意』一巻を撰述し、一般の人たちが心得やすいようにと、その文意・文句

を註釈されていることなどからしても、この聖典を聖人がいかに尊崇されていたかがうかがわれる。

【五七】首においては、末法のわれらを救わんがために三朝の大師、すなわち七高僧の出現せられたことをよろこび、【五八】首では、教主釈尊の哀愍の御心をあげ、七祖の教えに順ずるのは仏意に契うことであり、他力の信心を獲得し慶喜恭敬するものを、教主釈尊は「我が親友」であると讃嘆せられたことを明かされるのである。

このように釈尊の誉め讃えられる信心の行者を、三国の祖師が誉められるのは至極当然なことで、煩悩具足の凡夫であるわれらが、このような光栄ある讃辞を受けるにつけても、いよいよ大悲の広大なることを仰ぎ、感謝せずにはおれない気持を和讃に託されたものである。

(3)　報恩謝徳の結勧

【本　文】　【五九】

①如來大悲(にょらいだいひ)の恩徳(おんどく)は　身(み)を粉(こ)にしても報(ほう)ずべし
②師主知識(ししゅちしき)の恩徳(おんどく)も　ほねをくだきても謝(しゃ)すべし

【讃　意】　仏祖の広大なる恩徳に対して報恩謝徳を勧め、『正像末和讃』「三時讃」の結びとされる。

【語　釈】①如来……阿弥陀如来をさすが、釈尊を含めて考えてもよい。②師主知識……師主とは、世の師範となって弟子を教える主のこと。知識とは、よく世を教え導く人のことで、釈尊を初めとして七高僧をさす。

【出　拠】善導大師の『観念法門』（真聖全・一・六四〇）の文

又敬白。一切往生人等、若聞此語、即応声悲雨涙、連劫累劫粉身砕骨、報謝仏恩由来、称本心、豈敢更有毛髪憚之心。

及び、法然上人の徳を讃嘆して前出した『聖覚法印表白』（真聖全・五・九三）の文

倩思教授恩徳、実等弥陀悲願者歟。粉骨可報之、摧身可謝之。

この文意は、親鸞聖人自ら『尊号真像銘文』（真聖全・二・五七四）に解釈せられている。

【要　義】上来、如来廻向の恩徳と仏祖教化の恩沢を説き述べられたから、いまこの一首においては、これを総括して報恩謝徳を勧め、もって『正像末浄土和讃』の結讃とされたのである。

(4) 結　示

已上正像末法和讃　五十八首

本文の巻頭には「正像末浄土和讃　愚禿善信集」とあったが、巻末ではこの結語が付記せられており、これをもって全体の名目とされる。

道綽禅師の『安楽集』や伝教大師の『末法灯明記』に示唆を得られ、釈尊の滅後、漸次にその教法と修行と証悟の失われゆく有様や三時の間の動きに注意し、すでに聖人の在世当時、如実の修行と真実の証悟の失われたことをなげかれた。そして、その教法においても、ただ一つ正像末の三時を通じて阿弥陀仏の本願のみがひろまり、万人の胸のうちに信火を燃やし続けて止まない不滅の光となることをよろこばれた。

このように、末世と呼ばれる時にありながら、ひとり念仏往生を信ずる身のしあわせを、それぞれの経文や釈文を拠り所にして和讃されたもの、それがこの『正像末浄土和讃』である。

『浄土和讃』『高僧和讃』と『正像末和讃』との製作の間には十年のへだたりがある。その間の十年は、聖人にとっては実に痛ましい歳月であった。善鸞の義絶、関東僧侶の動乱など、余りにも心労の多い晩年であった。これらのことは、『歎異抄』や「御消息」、あるいは『御伝鈔』等をみれば明白である。これらの事柄によって老衰の御身がますます害せられたであろうことは想像に難くない。

すなわち、高田本『正像末法和讃』草稿本の後書きの後には、

正嘉元年丁巳壬三月一日、愚禿親鸞八十五歳書之

とあり、次の日の三月二日にお弟子に与えられた消息（『末灯鈔』第八通）の文には、

くはしくはこのふみにて申べくも候はず。目もみえず候。なにごともみなわすれて候うへに、ひとにあきらかにまふすべき身にもあらず候。（真聖全・二・六六九）

と記されてある。

しかし、老聖人の魂は、真実のまえにはあくまでも雄々しく、

弥陀の本願信ずべし　本願信ずるひとはみな
摂取不捨の利益にて　無上覚をばさとるなり

と、感激にみちみちた「夢告讃」を感得せられたのである。そして、真実に生き、真実を求められたその一生は、まさに無碍の一道であり、お念仏によって開かれゆく白道は、また如来に抱かれた生涯でもあった。

如来大悲の恩徳は　身を粉にしても報ずべし
師主知識の恩徳も　骨をくだきても謝すべし

と結びわれらに勧められた祖意を深く味わい、ただ尊くこれを頂戴するばかりである。

第四章　誡　疑　讃　二十三首

㈠　本　文

【六〇】　不了佛智のしるしには　如來の諸智を疑惑して
罪福信じ善本を　たのめば邊地にとまるなり

【六一】　佛智の不思議をうたがひて　自力の稱念このむゆへ
邊地・懈慢にとゞまりて　佛恩報ずるこゝろなし

【六二】　罪福信ずる行者は　佛智の不思議をうたがひて
疑城・胎宮にとゞまれば　三寶にはなれたてまつる

【六三】　佛智疑惑のつみにより　懈慢・邊地にとまるなり
疑惑のつみのふかきゆへ　年歳劫數をふるととく

【六四】
轉輪皇の王子の　皇につみをうるゆへに
金鏁をもちてつなぎつゝ　牢獄にいるがごとくなり

【六五】
自力稱名のひとはみな　如來の本願信ぜねば
うたがふつみのふかきゆへ　七寶の獄にぞいましむる

【六六】
信心のひとにおとらじと　疑心自力の行者も
如來大悲の恩をしり　稱名念佛はげむべし

【六七】
自力諸善のひとはみな　佛智の不思議をうたがへば
自業自得の道理にて　七寶の獄にぞいりにける

【六八】
佛智不思議をうたがひて　善本德本たのむひと
邊地・懈慢にむまるれば　大慈大悲はえざりけり

【六九】
本願疑惑の行者には　含花未出のひともあり
或生邊地ときらひつゝ　或墮宮胎とすてらるゝ

【七〇】
如來の諸智を疑惑して　信ぜずながらなをもまた
罪福ふかく信ぜしめ　善本修習すぐれたり

【七一】
佛智を疑惑するゆへに　胎生のものは智慧もなし
胎宮にかならずむまるゝを　牢獄にいるとたとへたり

【七二】
七寶の宮殿にむまれては　五百歳のとしをへて
三寶を見聞せざるゆへ　有情利益はさらになし

【七三】
邊地七寶の宮殿に　五百歳までいでずして
みづから過咎をなさしめて　もろ〳〵の厄をうくるなり

【七四】
罪福ふかく信じつゝ　善本修習するひとは
疑心の善人なるゆへに　方便化土にとまるなり

【七五】
彌陀の本願信ぜねば　疑惑を帶してむまれつゝ
はなはすなはちひらけねば　胎に處するにたとへたり

【七六】ときに慈氏菩薩の　世尊にまふしたまひけり
何因何縁いかなれば　胎生・化生となづけたる

【七七】如來慈氏にのたまはく　疑惑の心をもちながら
善本修するをたのみにて　胎生邊地にとゞまれり

【七八】佛智疑惑のつみゆへに　五百歳まで牢獄に
かたくいましめおはします　これを胎生とときたまふ

【七九】佛智不思議をうたがひて　罪福信ずる有情は
宮殿にかならずむまるれば　胎生のものとときたまふ

【八〇】自力の心をむねとして　不思議の佛智をたのまねば
胎宮にむまれて五百歳　三寶の慈悲にはなれたり

【八一】佛智の不思議を疑惑して　罪福信じ善本を
修して淨土をねがふをば　胎生といふとときたまふ

【八二】

佛智うたがふつみふかし　この心おもひしるならば
くゆるこゝろをむねとして　佛智の不思議をたのむべし

已上二十三首、佛不思議の彌陀の御ちかひをうたがふつみとがをしらせんとあらはせるなり

㈡ 解題

この和讃のご清書本には題号がない。しかし、その終りには「已上二十三首、仏不思議の弥陀の御ちかひをうたがふつみとがをしらせんとあらはせるなり」（真聖全・二・五二五）とあり、またご草稿本の終りには、「已上疑惑罪過二十二首」とある。そこで古来、この和讃を「疑惑罪過和讃」あるいは単に「疑惑讃」と呼んでいる。しかしながら、内容からいってもむしろ「誡疑讃」と名づけるのが至当で、新しく改版された『真宗聖教全書』では、「誡疑讃」とされている。

すなわち、宗祖は「夢告讃」の「弥陀の本願信ずべし」のこころを、『正像末浄土和讃』五十八首において開説せられたが、末代濁世の人びとは本願を疑うものが多いので、その疑いを誡めるために、この「誡疑讃」二十三首を作り添えられたのである。

浄土真宗の教義は、「勧信」（信を勧める）と「誡疑」（疑いを誡める）の四字におさまるといっても過言ではない。そのなか、前の五十八首で「勧信」を、この二十三首で「誡疑」を詳しく開示された。

その「誡疑」のうち、初めの二十二首は仏智疑惑の罪過をあげてその恐ろしさを知らしめ、最後の一首で、その疑惑を捨てて仏智の不思議を信ずべきことを勧められているのである。

第五章　皇太子聖徳奉讃　十一首

㈠　本　文

【八三】
佛智不思議の誓願を　聖徳皇のめぐみにて
正定聚に歸入して　補處の彌勒のごとくなり

【八四】
救世觀音大菩薩　聖徳皇と示現して
多々のごとくすてずして　阿摩のごとくにそひたまふ

【八五】
无始よりこのかたこの世まで　聖徳皇のあはれみに
多々のごとくにそひたまひ　阿摩のごとくにおはします

【八六】
聖徳皇のあはれみて　佛智不思議の誓願に
すゝめいれしめたまひてぞ　住正定聚の身となれる

【八七】
他力の信をえんひとは　佛恩報ぜんためにとて
如來二種の廻向を　十方にひとしくひろむべし

【八八】
大慈救世聖德皇　父のごとくにおはします
大悲救世觀世音　母のごとくにおはします

【八九】
久遠劫よりこの世まで　あはれみましますしるしには
佛智不思議につけしめて　善惡淨穢もなかりけり

【九〇】
和國の教主聖德皇　廣大恩德謝しがたし
一心に歸命したてまつり　奉讃不退ならしめよ

【九一】
上宮皇子方便し　和國の有情をあはれみて
如來の悲願を弘宣せり　慶喜奉讃せしむべし

【九二】
多生曠劫この世まで　あはれみかふれるこの身なり
一心歸命たへずして　奉讃ひまなくこのむべし

【九三】
聖徳皇のおあはれみに　護持養育たへずして
如來二種の廻向に　すゝめいれしめおはします

㈡　解　題

聖徳太子は、我が国に仏教を弘められた最初の方で、その広大なる恩徳を忘れることはできない。宗祖親鸞聖人は父母に対するようなお気持で、「多々」（父）・「阿摩」（母）とまで呼ばれて敬慕されている。そして、「和国の教主」として日本仏教の開祖と尊崇され、また「救世観音大菩薩の示現」とも「弥陀如来の化身」とも仰がれた。

この「太子奉讃」はご草稿本にはなく、再治清書の時に、末法の大善知識である聖徳太子を奉讃して、特に『正像末和讃』に十一首を添えられ、その広大な恩徳を謝せられたものである。ここには、主に「大慈救世聖徳皇」と「大悲救世観世音」との本地垂迹二門の化導とを合して、その恩徳を讃嘆せられているのである。

その他、太子に関する和讃は数多くあり、「帖外和讃」には太子の史伝等を記して讃嘆された「皇太子聖徳奉讃」七十五首（『真宗聖教全書』巻二所収）や、「大日本国粟散王聖徳太子奉讃」百十四首（『真宗聖教全書』巻四所収）などもある。このように、宗祖は太子を七高僧と並べて、ことに在家往生の道を開かれた教主としてあがめられ、その徳風を慕われている。

第六章　愚禿悲歎述懐　十六首

(二) 本　文

【九四】
淨土眞宗に歸すれども　眞實の心はありがたし
虛假不實のわが身にて　清淨の心もさらになし

【九五】
外儀のすがたはひとごとに　賢善精進現ぜしむ
貪瞋邪僞おほきゆへ　奸詐もゝはし身にみてり

【九六】
惡性さらにやめがたし　こゝろは蛇蝎のごとくなり
修善も雜毒なるゆへに　虛假の行とぞなづけたる

【九七】
无慚无愧のこの身にて　まことのこゝろはなけれども
彌陀の廻向の御名なれば　功德は十方にみちたまふ

【九八】
小慈小悲もなき身にて　有情利益はおもふまじ
如來の願船いまさずば　苦海をいかでかわたるべき

【九九】
蛇蝎奸詐のこゝろにて　自力修善はかなふまじ
如來の廻向をたのまでは　无慚无愧にてはてぞせん

【一〇〇】
五濁増のしるしには　この世の道俗ことごとく
外儀は佛教のすがたにて　内心外道を歸敬せり

【一〇一】
かなしきかなや道俗の　良時吉日えらばしめ
天神地祇をあがめつゝ　卜占祭祀つとめとす

【一〇二】
僧ぞ法師のその御名は　たうときことゝきゝしかど
提婆五邪の法にて　いやしきものになづけたり

【一〇三】
外道・梵士・尼乾志に　こゝろはかはらぬものとして
如來の法衣をつねにきて　一切鬼神をあがむめり

【一〇四】かなしきかなやこのごろの　和國の道俗みなともに
佛教の威儀をもとゝして　天地の鬼神を尊敬す

【一〇五】五濁邪惡のしるしには　僧ぞ法師といふ御名を
奴婢僕使になづけてぞ　いやしきものとさだめたる

【一〇六】无戒名字の比丘なれど　末法濁世の世となりて
舎利弗・目連にひとしくて　供養恭敬をすゝめしむ

【一〇七】罪業もとよりかたちなし　妄想顚倒のなせるなり
心性もとよりきよけれど　この世はまことのひとぞなき

【一〇八】末法惡世のかなしみは　南都・北嶺の佛法者の
輿かく僧達力者法師　高位をもてなす名としたり

【一〇九】佛法あなづるしるしには　比丘・比丘尼を奴婢として
法師僧徒のたふとさも　僕從ものゝ名としたり

已上十六首、これは愚禿がかなしみなげきにして述懐としたり、この世の本寺本山のいみじき僧とまふすも法師とまふすも、うきことなり

釋親鸞書レ之

(二) 解　題

この十六首では、末世の現代は聖道の諸教が衰えて、行証ともにかなわぬ時代であるから、阿弥陀仏の本願を信じ、念仏の一門に帰することを勧められる。すなわち、機根が劣悪となり、釈尊の遺法も衰え、共に悲歎極まりない末世の様相を、自分自身の内と外との両面における虚仮不実性のすがたとして見つめ、しかも、その底に照らし出されている自己が語られている。という和讃である。

聖人においては、自分自身も虚仮不実な存在であった。しかし、この自分自身を虚仮不実な存在であると知る智慧は、自分自身のものではない。虚仮不実な自分であるということを知らしめ、気づかしめたものは、尽十方無导の光にほかならない。そして、その本願の真実を受けとめ、無导の光に照らし出された自分に気づかれたすがたのありのままを述べられたのがこのご和讃である。

ここに救われゆく世界の開かれていることが教えられ、同時に親鸞聖人の最も人間的なすがたがあらわれている。

なお、この「和讃」はご草稿本にはなく、再治清書本の時に加えられたものである。

第七章　善光寺如来和讃　五首

㈠ 本文

【一一〇】
善光寺の如來の　われらをあはれみまし〳〵て
なにはのうらにきたります　御名をもしらぬ守屋にて

【一一一】
そのときほとをりけとまふしける　疫癘あるひはこのゆへと
守屋がたぐひはみなともに　ほとをりけとぞまふしける

【一一二】
やすくすゝめんためにとて　ほとけと守屋がまふすゆへ
ときの外道みなともに　如來をほとけとさだめたり

【一一三】
この世の佛法のひとはみな　守屋がことばをもとゝして
ほとけとまふすをたのみにて　僧ぞ法師はいやしめり

【一一四】

弓削の守屋の大連　邪見きはまりなきゆへに
よろづのものをすゝめんと　やすくほとけとまふしけり

(二) 解題

この五首の和讃は、先の「太子讃」「述懐讃」と同様に、再治の時に加えられたものである。この和讃は、善光寺如来の由来について、それは三国伝来の阿弥陀仏であると記した「縁起」の伝説にもとづいて作られたものである。

欽明天皇七年（五三八）、百済の聖明王が釈迦像・経典・仏具などを朝廷に献上したのが、我が国への仏教の公伝と伝えられているが、当時、異国の教えである仏教を信ずべきか否かで二派に分かれて争いが起り、排仏者の物部守屋と崇仏者の蘇我稲目とが激しく対立した。その後、国内において疫病が流行し、多くの人びとが死んだ為に、排仏者の守屋は、それが三国伝来の仏像をまつったことへの神のたたりであると考えて、善光寺如来に触れたところ大変熱かったので、「ほとをりけ」がある、つまり熱病があるといい、如来を謗って「ほとをりけ」と悪い名をつけて呼んだのである。すなわち、「ほとをりけ」とは動詞「ほとほる」（熱を出す・ほてる）に、名詞「け」（気）がついた言葉で、「火のような熱を出す心地」（熱病）を「ほとをりけ」と呼んだ。しかし、この言葉は長いので省略し、「ほとけ」と呼んだとされている。その後、仏教徒たちまでが守屋のこの言葉をまねて、平気で「仏（ぶつ）」のことを「ほとけ」と称するようになった。これはやがて、僧侶・法師までもいやしめる悪習へと発展していくが、その由来はまったくこの守屋の邪見によるものである。

このように、正しいものを信ぜず、誤れるを信ずる末世の様相を深く悲しみ歎かれたので、この五首も、前の「述懐讃」の部類であるからこれに連ねてあり、別に標題を出されていない。なお、七十五首の太子和讃中の守屋批判のものとも対照して味わいたい。

第八章　総　結――自然法爾章

一、親鸞八十八歳御筆

(一)　本　文

親鸞八十八歳御筆

(二)　解　題

古来、この「御筆」の文字についての疑義が生じ、ある者は三帖全体を遺弟の編成になるものと考え、またある者は「法語」以下を後人の付加とし、ある者は撰述年記の八字を他人の挿入とみなしている。しかしながら、いずれもみな推論の域を出ず、確固とした論拠はない。

ここに「親鸞八十八歳」とあるのは、「三帖和讃」編成の撰号と年代とを明らかにされたものである。特に「御筆」の文字を記していない異本もあるので、恐らくは文応の清書に当って敬称の文字を付加したものであろう。

二、法　語

(一) 本　文

獲の字は因位のときうるを獲といふ、得の字は果位のときにいたりてうることを得といふなり。名の字は因位のときのなを名といふ、號の字は果位のときのなを號といふ。自然といふは自はおのづからといふ、行者のはからひにあらず、しからしむといふことばなり。然といふはしからしむといふことば、行者のはからひにあらず。如來のちかひにてあるがゆへに。法爾といふは如來の御ちかひなるがゆへにしからしむるを法爾といふ。この法爾は御ちかひなりけるゆへに、すべて行者のはからひなきをもちて、このゆへに他力には義なきを義とすとしるべきなり。自然といふはもとよりしからしむるといふことばなり。彌陀佛の御ちかひの、もとより行者のはからひにあらずして、南无阿彌陀佛とたのませたまひて、むかへんとはからはせたまひたるによりて、行者のよからんとも、あしからんともおもはぬを、自然とはまふすぞときゝてさふらふ。ちかひのやうは无上佛にならしめんとちかひたまへるなり、无上佛とまふすはかたちもなくまします、かたちもましまさぬゆへに自然とはまふすなり、かたちましますとしめすときは无上涅槃とはまふさず、かたちもましまさぬやうをしらせんとて、はじめに彌陀佛とぞきゝならひてさふらふ。彌陀佛は自然のやうをしらせんれうなり、この道理をこゝろゑつるのちには、この自然のことはつねにさたすべきにはあらざるなり。つねに自然をさたせば、義なきを義とすといふことはなを義のあるべし。これは佛智の不思議にてあるなり。

㈡ 解題

(1) 獲得と名号

これは、「獲得」の二字と「名号」の二字とを分けて解説されたものである。

(2) 自然法爾

続いて「自然法爾」のご解釈で、そのうち最初は「自然」と「法爾」との字義を述べ、次にその出体釈、すなわち何を指して自然法爾というのかが説明されている。すなわち、阿弥陀仏の願力を自然と称するという「願力自然」を述べ、次に「無為自然」を述べ、そしてさらに、常に自然のことを主張する愚かな凡夫の心を誡めて、ただ仏智不思議を仰ぐべし、と教えられている。

三、別和讃　二首

㈠　本文

【一一五】よしあしの文字(もんじ)をもしらぬひとはみな　まことのこゝろなりけるを
善悪(ぜんまく)の字(じ)しりがほは　おほそらごとのかたちなり

【一一六】是非(ぜひ)しらず邪正(じやしやう)もわかぬ　このみなり
小慈小悲(せうじせうひ)もなけれども　名利(みやうり)に人師(にんし)をこのむなり

已上

㈡　解題

「三帖和讃」の総結として前に法語を添加され、最後にこの二首の和讃を添えて、慚愧のこころをもって筆を置かれる。聖人は、義なきを義とする仏智不思議に帰命しながらも、一方で、この「三帖和讃」を作ってもの知り顔をし、名聞利養に利用しようとする下心のあることを慚じておられるのである。故に、この和讃を「慚愧和讃」ともいう。

『浄土和讃』の巻頭に二首の序讃を置き、『正像末和讃』の最後にこの二首を添えて「三帖和讃」は結ばれている。

参考文献

勝山　善譲著　『正像末和讃要義』（顕道書院）大正二年八月二十日発行
是山　恵覚著　『正像末和讃要義』（興教書院・法林館）大正四年五月十日発行
柏原　祐義著　『三帖和讃講義』（平楽寺書店）大正六年五月三日発行
高木　俊一著　『三帖和讃通釈』（興教書院）大正十三年十一月一日発行
平安専修学院編　『高僧・正像末和讃略釈』大正十五年四月五日発行
宇野　円空編　『聖典講讃全集』（小山書店）のうち
(1)「和讃総論」―志賀義秀　昭和十年七月十四日発行
(2)「正像末和讃」―荻生隆三　昭和十年五月十六日発行
宮崎　圓遵著　『真宗書誌学の研究』（永田文昌堂）昭和二十四年七月十日発行
真宗聖典編輯同人編　『真宗聖典』（永田文昌堂）昭和三十一年五月十日発行
生桑　完明著　『親鸞聖人真蹟 三帖和讃国宝本解説』（高田派本山遠忌局発行）昭和三十五年六月二十一日発行

岩波書店刊　『日本古典文学体系』〈三〇～三七、八二・八三〉
昭和三十三年六月五日発行～昭和三十九年八月五日発行

金子　大栄編　『親鸞著作全集』（法蔵館）昭和三十九年十一月十日発行

高木　昭良著　『三帖和讃の意訳と解説』（永田文昌堂）昭和四十一年十月一日発行

親鸞聖人全集刊行会　編　『親鸞聖人全集』〈和讃篇〉（法蔵館）昭和四十四年十一月二十日発行

本願寺派宗学院　編　『宗学院論集――特集号　親鸞聖人の和讃研究』〈第三九号〉
昭和四十三年十一月一日発行

三木　照国著　『正像末和讃講義』（永田文昌堂）昭和五十一年四月十六日発行

早島　鏡正著　『正像末和讃』（春秋社）昭和五十三年六月二十日発行

松原　祐善著　『正像末和讃講讃』（東本願寺出版部）昭和五十五年七月五日発行

宮崎　圓遵著　『正像末和讃私記』（永田文昌堂）昭和五十五年十月十日発行

常磐井和子　「正像末法和讃の成立に関する試論」昭和五十六年十一月十日発行
（高田学会編『高田学報』〈第七十輯〉所収の論文）

――和讃要義（下）――

一九八〇年三月二十日　第一刷発行
二〇一五年四月二十日　第十二刷発行

編集　中央仏教学院

発行　本願寺出版社
〒六〇〇―八五〇一
京都市下京区堀川通花屋町下ル
浄土真宗本願寺派
電話（〇七五）三七一―四一七一
FAX（〇七五）三四一―七七五三

印刷　株式会社図書印刷同朋舎

BD8-SH21-① 40-51
ISBN978-4-89416-443-7 C3037 ¥1200E